百濟
동아시아 대왕 근초고
윤영용
East Asian Great King
Geunchogo

동아시아 대왕 근초고 5

발 행 | 2024년 4월 20일
저 자 | 윤영용
펴낸이 | 한건희
펴낸곳 | 주식회사 부크크
출판사등록 | 2014.07.15.(제2014-16호)
주 소 | 서울특별시 금천구 가산디지털1로 119 SK트윈타워 A동 305호
전 화 | 1670-8316
이메일 | info@bookk.co.kr

ISBN | 979-11-410-8174-4

www.bookk.co.kr

동아시아대왕

근초고

윤영용 지음

天 하늘의

북부 대륙에 세 세력이 바로 서야 전쟁의 위기를 넘을 수 있다. 그 세력의 한 축, 모용씨족 한복판에서 대륙백제의 평화를 이루기 위한 협상이 시작된다. 거기 우복이 있었다.

"몸이 가뿐해졌습니다."

실상은 우복이 초원을 달려오느라 무리를 했는지 으슬으슬 춥고 왠지 모를 오한(惡寒)이 나서 자못 긴장해있었다. 초원병. 먼 길을 온 사람들이 흔히 겪는 병이다. 초원 병은 그 땅의 여인을 품어야 낫는다고 했다. 그걸 선비족 숙신 대칸 모용외가 모를 리 없었다. 그래서 대칸 모용외는 자신의 딸을 내준 것이다. 그 덕에 우복은 여호기가 농담처럼 말했던 모용외의 여식 하나는 얻어 갈 수 있었다. 문제는 담판이었다.

알고 있다–

너희 왕. 비류왕 여호기의 뜻을 이 대칸 모용외가 알고 있다. 이런 뜻이 내포된 미소가 모용외의 얼굴에 가득했다. 먼저 우복이 말을 꺼냈다.

“비류왕께서는 포로교환을 제안하셨습니다.”
“화친의 조건인가?”
“화친의 조건이라기보다는 우선 왕께서는 자신의 병사들이 타국에서 포로 생활을 하는 것에 애통해하십니다. 포로를 구해서, 내 병사들을 구해서 와라! 그것이 최우선이라 하셨습니다.”
“…!”

모용외의 표정이 잠시 일그러졌다. 그런 모용외의 뒤에서 장통의 아들 장무이(張撫夷)는 긴장했다. 이제 곧 조건들이 걸릴 일이다. 그런데 저 우복이라는 사람이 보통이 아니다. 단박에 모용외의 약점을 찔렀다. 화친의 조건보다 우선한 일. 내 백성을 먼저 생각하는 왕. 비류왕 여호기는 그런 사람이다. 이를 받지 않는다면 대칸 모용외는 백성을 위하는 군주가 아니다. 자존심이 매우 강한 대칸 모용외가 안 받을 수 없게 하고 있었다. 그저 평범한 말투로 할 말을 한 것뿐인데 그 말이 전하는 힘은 모용외를 압박하기에 충분했다. 그런 생각이 장무이를 긴장하게 하고 있었다. 이러다 백제 책계왕과 분서왕을 죽인 자신의 아버지 장통의 목을 웃으면서 내달라고 할 사람이다. 우복은 화사하게 웃으면서 상대방 기분을 좋게 하고 칼날같이 자신이 원하는 바를 얻어갈 것이다. 장무이의 눈초리가 올라갔다.

"그 말이 더 일리가 있군."

선비족 숙신의 대칸 모용외는 인정했다. 받기로 했다. 그러니 주어야 했다.

"나도 우리 백성과 병사들이 백제군에 있는 것에 반대한다."
"비류왕께서는 포로교환을 원하십니다."
"포로 하나에 한 명씩인가?"
"그것이 가장 적절하겠지요!"
"그럼 숫자가 다른데 어떻게 수를 맞추지?"

"그러면 말 두 필로 한 사람을 대신하는 것이 어떻겠습니까?"

"군마라…"

우복의 계략이었다. 백제에 선비족 숙신의 포로가 더 많았다. 군마 이만 필은 더 필요할지도 모른다. 말은 고래로부터 국력이다. 국력을 내어주는 셈인데… 선비족 숙신의 대칸 모용외의 갈등이 시작되었다.

"다른 것이 없나? 군마를 대신할 다른 것"

모용외의 이 말에 장통의 아들 장무이는 화들짝 놀랐다. 드디어 왔다. 그 시간이 시작된 것이다. 장통의 목을. 분명히 원할 것이다. 비류왕은 그런 명령을 내렸을 것이다. 백제왕 두 명이 연이어 자신의 아비 장통에 의해서 죽었다. 장통의 목이면 군마 이만 필을 능가할 좋은 조건이었다. 장통과 장무이 등은 낙랑을 바치고 모용씨족에게 몸을 의탁했다. 이제 모용외에게서도 장통은 조건으로 변할 것이다. 능히 그럴 수 있는 사람이 모용외다. 그즈음. 우복이 장무이를 발견하고 장무이 쪽으로 고개를 돌려 빙긋 웃었다. 그 차가운 미소. 우복의 미소가 장무이의 등줄기를 서늘하게 하고 있었다.

미소를 보았다-

모용외도 우복의 미소가 무엇을 의미하는지 알고 있었다. 그러자 생각했다. 장통인가? 장통을 내어달라는 것인가? 시름이 더욱 깊어졌다. 심적 부담도 컸다. 내 군사 구하기 위해 장통을 내놓을 수는 없다. 그러기엔 대외적인 신의 문제도 있다. 모용외의 갈등을 아는지 우복이 편안한 미소를 짓는다. 잠시 시간을 갖기로 했다.

놈-

장무이가 이를 갈았다. 저 우복이란 놈. 능글댄다. 참기 어려운 모욕감에 장무이는 우복을 노려봤다. 우복은 장무이를 보면서 다른 생각을 하고 있었다. 이십 대 중반 그 장무이. 만만한 자가 아니었다. 이름이 궁금했다. 그래서 물었다. 저자는 이름이 무엇인가. 그러자 낙랑태수 장통의 아들이라 했다. 아, 그래서였구나. 다른 장수들과 달리 눈을 부라리고 자신을 쳐다보고 있었다. 아비 장통의 목을 달라고 할까 싶어 아까부터 전전긍긍 뒤마려운 강아지처럼 안절부절못하고 있었다. 나라를 잃은 세력의 비애(悲哀). 우복은 어쩐지 가여운 마음이 들었다. 힘을 잃은 낙랑태수 장통. 천하를 호령했던 요동인(遼東人) 장통(張統)이 그렇게 처량해진 것이다. 우복은 모용외의 고민이 애초 짐작했던 것보다 더 깊을 수도 있을 것으로 생각했다. 이게 아닌데… 즉시 우복은 모용외의 딸을 불렀다. 그리고 말했다. 곧 따로 뵙자고. 그러자 다 함께 보자고 한다. 우복은 생각했다. 모용외의 사람됨이 생각보다 더 컸다.

그릇이 크다–

선비족 숙신의 대칸 모용외는 그랬다. 장통의 목을 줄 수는 없다. 자신에게 의탁해온 사람을 내줄 수는 없다. 그리 결론짓고 우복을 다시 만나기로 했다. 다만 군마 이만여 필을 능가하는 다른 조건이 있을 수 없었다. 그것이 참으로 불리했다. 그런 얘기를 나누기엔 좀 더 생각할 시간이 필요했는데, 장무이를 우복이 보고 이름을 묻더니 바로 회담을 재요청해왔다. 따로. 선비족 숙신의 대칸 모용외는 따로 만나는 것은 신의를 저버릴 수 있기에 피했다. 장통의 세력이 오해할 수도 있었다. 그러면 낙랑도 잃고, 졸지에 적을 품고 있는 꼴이 된다. 그것이 백제의 계책일 수도 있었다. 생각이 거기에 다다르자 다 함께 협상을 다시 하기로 했다. 장무이가 모용외의 뒤에 따라 들어오다가 우복의 말에 의아해졌다.

따님께서 저를 살리셨습니다-

이게 무슨 말인가. 객고를 풀어줄 요량으로 침녀를 들인 것뿐인데 목숨을 살리다니. 우복의 말뜻을 알아들을 수 없었다. 우복은 선비족 숙신의 대칸 모용외가 빠져나갈 구멍을 만들고 있었다. 그래서 군마 이만여 필이 아닌 다른 조건을 내기로 했다. 이미 비류왕의 조건은 충족하지 않았는가. 비류왕 여호기에게 선물을 줘야겠다고 생각했다.

"실은 몸이 매우 불편했습니다. 따님께서 좋은 술을 데워주었습니다. 그 술 덕분에 살았습니다. 마유주(馬乳酒)가 아주 좋습니다. 그리고 따님이 매우 예쁩니다. 실은 왕과 내기를 했습니다. 제가 초원의 여인을 못 얻으면 큰 벌을 받기로 했는데… 대칸 덕분에 목숨을 건졌습니다. 또한 따님께 참으로 네가 이 나라에서 제일 예쁘구나 하니… 아니라고 했습니다. 자신의 언니이자 장무이 장군의 아내가 제일 예쁘다고 했습니다. 장무이 장군의 아내는 쌍둥이 중 큰 언니가 되며 대칸의 딸 중 최고의 미인 쌍둥이 둘 중 하나라 했습니다. 그래서 장무이 장군을 쳐다보고 반가워 미소를 지은 것입니다. 저와 장무이 장군이 이제 동서 사이가 아닙니까?"

이게 무슨 소리인가. 장무이는 낙랑태수 장통의 아들이다. 백제의 원수다. 또한 대칸 모용외의 쌍둥이 딸 중 하나의 남편이기도 했다. 동서 사이? 그 얘기를 왜 외교 협상장에서 할까? 궁금증이 일었다. 뭔가 있었다. 제일 먼저 우복의 뜻을 알아챈 모용외가 급히 물었다.

"그래서… 무슨 뜻이 있는가?"

속 답답하게 뜸들이지 마라. 이런 얘기였다. 빙그레 사람 좋은 미소를 우복이 짓고 있었다.

"우리 왕께서는 사랑하던 열도의 정인을 잃어 상심이 매우 크십니다. 그런데 아우인 저는 이렇게 어여쁜 대칸의 따님을 얻었으니, 이게 말이나 될 일입니까? 참으로 송구스러운 밤이었습니다. 다행히 대칸의 쌍둥이 따님 중에 빼어난 인물이 있다고 해서…"

아, 그제야 선비족 숙신의 대칸 모용외와 그의 부하들은 깨달았다. 우복의 말뜻이 뭘 의미하는지. 낙랑태수 장통의 목이 아니다. 지금 우복은 장통까지. 아니 장무이까지도 얻으려 하고 있었다. 다르다. 이 계집처럼 곱게 생긴 우복이라는 사내, 참으로 대범하고 치밀하지 않은가. 그럴수록 모용외는 비류왕 여호기가 대단하게 느껴졌다.

"좋다. 매우 좋아!"

선비족 숙신의 대칸 모용외가 갑자기 크게 웃음을 터트렸다. 장무이는 더 황당해했다. 이게 무슨 변화인가. 협상장이 졸지에 웃음바다가 됐다. 우복의 말뜻을 사내들인 장수들이 다 알아들었다. 나 혼자 재미 봤으니 고국의 형님께 미안하고 송구스럽다. 그러니 이 나라 제일 간다는 장무이 장군의 아내 그 쌍둥이 동생, 다른 따님을 줄 수 있느냐. 백제의 비류왕께서는 첩을 잃어서 지금 매우 쓸쓸해하고 계신다. 뭐 이런 얘기. 군마 이만여 필 대신 장통 태수의 목이 왔다 갔다 할 줄 알았는데… 대화는 의외의 부분에서 급진전했다.

모용외에게는 딸이 일곱이 있었다. 그중에 미모는 쌍둥이가 제일 나았다. 모용려(慕容麗), 모용오(慕容奡). 둘은 같았다. 쌍둥이다. 그다음이 모용유(慕容有)였다. 우복과 동침한 셋째였다. 특히, 아직 미혼인 모용오의 미모와 용맹함은 유명했다. 대가 아주 셌다. 모용오는 선비족 여자 무사들의 수장이었다. 말타기와 활 솜씨가 웬만한 군장 사내들을 능가했다.

그래 다 준다-

모용외가 크게 쓰기로 했다. 백제군 포로 전체를 돌려주기로 했다. 또한 낙랑에 잡혀 있던 백제 유민도 다 돌려주기로 했다. 거기에다가 군마도 대기로 했다. 초원을 달리는 말을 훈련 시켜 백제에 공급하기로 했다. 대신 추가로 소금과 식량, 철정(鐵釘)을 백제에서 받기로 했다. 모용외는 거래가 흡족했다. 장무이 또한 그랬다. 쌍둥이인 아내의 동생을 백제왕의 후비로 들이게 되었다. 아버지 낙랑태수 장통의 목을 원할 줄 알았는데 백제왕과 동서가 된다. 모용씨족은 비록 후비이지만 혈연의 연을 맺을 수 있었다. 장무이는 우복의 선택에 감동했다. 백제왕과 낙랑태수는 오랜 원수 간이었다. 그 원수가 졸지에 동서 간으로 바뀌는 순간이었다. 이런 일이 있을 수 있었다.

선비족 숙신의 대칸 모용외와 장통은 점차 고구려에 대한 반감이 커지고 있었다. 낙랑 연합의 약속을 깨고 백제와의 전쟁 기간에 고구려는 낙랑의 일부를 빼앗아 점령해 버렸다. 동지의 인연을 깬 고구려를 지금까지는 백제와의 기나긴 전쟁 때문에 응징할 수가 없었다. 고구려와 백제는 어쨌든 한 핏줄의 부여 출신 국가들이었다. 그런저런 이유로 모용씨족과 장통은 고구려가 미웠지만 어쩔 수 없었던 것이다. 북부 대륙의 상황이 서서히 바뀌고 있었다. 우복의 대륙 행은 여러 의미가 복잡하게 얽혀 있었다.

대칸 모용외의 동생 모용한은 선비족 숙신의 대칸 모용외에게 항상 권고하고 있었다.

"우리의 가장 가까운 이웃인 고구려는 항상 우리를 엿보고 있습니다. 그들은 우리가 우문부족과의 싸움에서 이기고 나면, 자신들을 공격할 것이라는 사실을 알고 있습니다. 따라서 우리가 우문 무리를 공격하러 떠나면, 그 빈틈을 타서 틀림없이 우리를 치려할 것입니다. 우리가 소수 군대만을 남겨 놓고 원정을 떠나면, 고구려군을 막아내지 못할 것입니다. 그렇다고 너무 많은 군대를 남겨놓고 가면, 우문부족을 정복하기에 원정군의 수가 너무나 부족해질 것입니다. 그러니 고구려 문제를 우선하여 해결해야 합니다."

그러나 그보다 더 골치 아픈 백제가 있었다. 그 백제가 이제 선린 화친을 통해 북부 대륙의 모용씨족에게 힘을 보태고 있었다. 초원을 정복할 기회가 될 것이다. 이제 연(燕)… 나라를 세울 때가 되었다. 그렇게 모용외는 생각했다. 백제를 얻었다. 비류왕 여호기가 그렇게 대륙 북부에서 모용씨족에게 기회를 주고 있었다.

모용외는 숙신 내에서 모용씨족의 북쪽에 자리 잡고 있던 선우부족과의 패권전쟁을 특히 중요시했다. 그 오랜 숙원 싸움이 남아 있었다. 선우부족과 고구려가 점차 밀접해지고 있었다. 선우부족의 침입은 곧 모용씨족의 대위기가 된다. 졸지에 남쪽 백제와 동쪽 고구려, 그리고 서북의 선우부족 등 사방이 적에게 둘러싸일 뻔했다. 그렇게 될 수 있었다. 그런 이유로 남쪽 백제와 평화화친을 맺는 것은 큰 득이 된다. 고구려는 산악지대를 기반으로 하고 있었다. 식량 부족은 당연하다. 없는 집에서 없는 집을 치니 뺏고 뺏는 것이 다 공수(空手)였다. 빼앗고 빼앗아도 부족한 상황. 그런데 백제는 다르다. 대륙백제는 대륙 동해안 일대에 그 세력이 펼쳐져 있어 물산이 풍부하다. 게다가 한성백제가 또 있다. 일명 신선(神仙)의 땅이 아닌가. 그런 백제와의 교류는 모용외를 북부 대륙에서 새로운 꿈을 이루게 할 것이다. 선비족 숙신의 대칸 모용외는 그렇게 백제와의 선린 화친에 아주 큰 의미를 두고 있었다.

다 얻었다-

우복은 그렇게 생각했다. 북방 행은 대성공이다. 이제 대륙백제는 십 년 또는 한 이십 년간 평화를 얻을 수 있을 것이다. 모용외는 큰 인물이다. 반드시 선우부족을 누르고 숙신의 대칸이 될 것이다. 북부 대륙의 별이 될 것이다. 그 세력의 한 축을 백제는 얻었다. 대륙 북부가 안정되는 길은 전혀 다른 방식이었다. 전쟁이 아닌 다른 방식의 승리였다.

우복은 포로교환과 더불어 선린 화친에 대한 결과를 비류왕 여호기에게 먼저 보고하게 했다. 그 자신은 대륙백제에 남아 포로교환을 마무리 지어야 했다. 대륙백제에서는 환호성이 그치지 않았다. 백제 병사들이 살아서 돌아왔다. 노예가 된 병사들과 유민들이 살아 돌아오자 백제군의 사기는 하늘에 닿았다. 백성을 지키는 것. 나라가 지켜준다는 그 믿음. 백제에 힘이 생기고 있었다.

모용씨족과의 화친은 대륙백제에도 많은 득이 있었다. 우선 긴 전쟁의 질곡을 벗어나게 했다. 이제 대륙백제는 적어도 대륙 북쪽에서 큰 우군을 가지게 된 것이다. 고구려와 모용씨족은 양쪽 다 섣부르게 백제와 칼을 겨눌 수 없게 되었다. 선린 화친. 이것이 백제에 안정을 가져다줄 것이었다.

이문(利文)이 크다-

우복은 개인적으로도 큰 성과가 생겼다. 모용씨족과의 교역은 흑우가 상단이 맡았다. 흑우가와 흑천은 모용씨족과 그들을 통해 저 멀리 서쪽 대륙, 나아가 북쪽 추운 지방을 다 관장할 수 있는 교역로를 확보하게 되었다. 모용씨족이 원하는 소금과 각종 철정 등은 고가품이다. 훈련이 잘된 군마와 귀한 약재, 양과 산록이 다량 반입될 수 있었다. 모두가 이번 북방 행으로 이루어진 것이었다. 포로교환만 석 달이 넘게 걸렸다. 양국의 포로교환은 서로 화기애애한 상태에서 이루어졌다.

대륙백제로 데리고 온 모용외의 딸이자 장무이의 아내, 쌍둥이 동생인 모용오(慕容奡)는 곧바로 한성백제로 보내졌다. 모용오는 동생 모용유를 우복에게 보낼 때도 눈 하나 꿈쩍하지 않았다. 그런데 우복이 비류왕을 모시는 태도와 모용씨족 최고의 기재라고 불리는 모용외를 이긴 장수라는 점에서 호기심이 일었다. 모용외는 비류왕 여호기를 당대 최고의 인물로 꼽았다. 그 점이 모용오의 마음에 들었다. 또 동생 모용유와 함께 한성백제로 가는 길이었다. 외롭지도 않을 것이다. 그래서 더 쉽게 백제행을 승낙했다.

우복은 그 길에 같이 안 가는 것이 나을 것으로 생각했다. 이는 지독한 질투의 여신 왕비 하료를 먼저 고려한 까닭이다. 대륙백제의 일이 많은 것을 구실로 한성백제 행을 피했다.

또 여자-

왕비 하료는 백성의 환호보다도 이국적 미모와 만만치 않아 보이는 여인 하나에 더 눈길이 갔다. 신경이 쓰였다.

우복이 여자를 보냈다. 자신의 여자와 왕의 새 여자. 한성백제에서는 대륙으로 더는 군수물자를 공급하지 않아도 되는 약속 증표 같은 여자였다. 대륙백제가 안정된다. 대륙에서의 견제와 균형이 확고하게 굳어졌다. 비류왕 여호기는 자신의 승리와 이번 우복의 성과로 확실하게 대륙백제의 영토에 선을 긋고 안정시켰다. 한성백제 귀족들은 하나같이 반겼다. 우복의 성과가 놀라웠다. 그 놀라운 성과의 덤 또는 보증과 같은 여자가 비류왕 여호기에게로 왔다.

'모용씨족의 대칸께서 따님을 화친의 정표로 보내시니… 시녀로 쓰시든 후비로 들이시든 마음대로 하시라고 합니다.'

비류왕을 위해 모용씨족 대칸이 귀한 딸을 보냈다. 그 딸을 시녀로 쓰든 마음대로 하란다. 그 딸의 위치로 훗날 백제와의 관계를 지켜나가겠다는 뜻이다. 그러니 백제 왕실에서는 함부로 할 수 없었다. 그래서 비류왕은 내신좌평 진루와 백제 귀족들에게 조언을 받았다.

비류왕은 모용오를 통해 왕비 하료를 견제하기로 했다. 아니 저절로 그렇게 될 터. 비류왕 여호기는 모용오와 외교적 친선행사를 넘는 육체적 긴밀함을 증명해야 했다. 우복은 그것을 반드시 선비족 숙신의 대칸 모용외에게 알려야 한다고 생각했다. 그래야 대륙백제의 안정성이 굳어진다고 믿었다. 그런 편지가 모용오를 따라왔다는 것은 우복의 숨은 의도가 있다고 생각했다. 왕비 하료가 아닌 다른 즐거움을 가지소서.

십팔 세 꽃다운-

여호기는 모용오에게 흥미를 갖게 된다. 대륙. 그 강한 기질의 여인이 후비로 들어왔다. 왕비 하료의 질투도 백제 왕실의 의견에 잠시 멈춰야 했다. 한성백제 누구도 왕비의 뜻을 살피지 않는다. 오직 백제의 평화시대가 열린 것에 환호했다. 이를 비류왕 여호기는 즐겼다.

그렇게 여자에게 오랜만에 취했다. 여호기는 선화처럼 이국의 여인, 모용오로부터 다른 느낌을 받는다. 왕비 하료에게서는 느낄 수 없는. 그러나 하료의 입장은 달랐다. 또 다른 이국의 여인이라니… 그래도 그건 외교였다. 국가적인 거래요, 장사였다. 이제 대륙백제는 안정될 것이다. 그걸 위해 참아야 했다. 내신좌평 진루는 왕비 하료의 성정을 누구보다 잘 알기에 특별히 신경을 썼다. 귀한 약재를 들였다. 연기를 마시면 기분이 몽롱해지는 아주 귀한 약재를 잘 다듬어 왕비 하료에게 권했다. 그 약재의 힘은 묘했다. 하료는 모용오의 일에 너그러워졌다.

비류왕 여호기는 모든 것을 다 얻었다. 게다가 덤으로 모용오라는 여인도 후비로 둘 수 있었다. 여호기는 모용오를 애지중지했다.

한동안-

비류왕과 모용오의 얘기가 저 멀리 대륙백제를 넘어 모용씨족의 귀에 들어가게 해야 했다. 그래서 더욱 모용오를 귀히 여겼다. 굳이 모용외를 의식한 것이 아니라 해도 삼십이 넘은 하료와 십 대 후반의 모용오는 달랐다. 그 다름이 좋았고, 선화와 닮은 이국적인 느낌이 좋았다. 그래서 비류왕은 외교를 좋은 구실 삼아 모용오를 탐했다.

그래야 했다-

대천관 신녀는 백제를 위해 정말 다행이라고 생각했다. 그런 생각으로 신탁을 보고 있었다. 그 신탁의 내용이 대천관 신녀를 고민하게 했다.

우복-

대변수로 자라고 있었다. 대륙백제에서 그리고 모용씨족과 관계에서 나아가 한성백제 비류왕도 다르게 변하고 있었다. 이번 대륙에서의 일을 통해 우복은 급격히 성장했다. 달라졌다. 힘은 무력만이 아니었다. 세상을 조정하는 다른 것이 있었다. 더 넓은 대륙을 보았다. 새롭게 권력에서도 눈을 떴다.

흑천의 현녀는 그런 우복을 아꼈다. 자식처럼 여겼다. 흑천 현녀는 우복에게 모든 것을 물려주고 싶었지만 당장 그럴 수 없었다. 우복은 백제를 위해 이제부터 일해야 했다. 우복의 야망은 흑천 따위에 머무르지 않았다.

대천관 신녀는 곧 있을 재앙이 두려웠다. 다만 비류왕 여호기가 왕이 되고 나서 절묘하게 평화 구축이 이루어졌다고 생각했다.

재앙-

그것은 때론 소리 없이 다가온다. 한성백제에도 그런 힘든 시기가 점점 다가오고 있었다. 모든 것을 얻은 비류왕 여호기에게 모든 것을 잃게 할 시련. 그때가 오고 있었다.

天 하늘의
二 다른 것은
三 삼이고
地 땅의
二 다른 것도
三 삼이며
人 사람의
二 다른 것도
三 삼이다

二 다른 것은

시련이 다가왔다. 308년 비류왕 5년 일식의 기운이 돌았다. 비류왕 여호기가 동명성왕 묘에 가서 하늘에 제를 지냈다. 대천관 신녀는 한성백제에 어려움이 오리라고 했다. 312년 비류왕 10년까지 5년 동안에 무려 3년간이나 가뭄이 들었다. 사람이 사람을 잡아먹는다는 소문이 돌았다. 비류왕은 너무도 참담했지만 쉽게 돌파구를 찾지 못했다.

“땅이 말라 곡식이 줄어들고 있다. 이제…”

“그럼 고기 먹자. 뭐”

“뭐?”

“고기를 잡으면 되지!”

은구는 그렇게 얘기했다. 사람들이 땅이 말라 곡식이 줄어들고 있는 것을 걱정하자 은구는 고기 먹자고 한다. 그리고 지금부터 달걀을 먹지 말자고도 한다. 왜냐고 우아가 물었다. 은구는 조금 있으면 고깃값이 더 오르리라고 한다. 그러니 알이 병아리가 되고 닭이 되면 그때 수탉만 팔자고 한다. 수탉이 많아봤자 싸움만 해서 안 된다고 했다. 현고와 초로, 단복도 기가 찬다. 의견을 물어본 것 같은데 벌써 어른들에게 가르치고 있다.

“형은 닭이 아무 데나 알을 까지 못하게 지푸라기 모아서… 아니다 알 낳는 곳을 만들고, 거기에만 낳게 하면 돼.

벌써 양계장이라도 차린 양. 아이들을 다 동원해 닭장을 새롭게 차렸다. 소도에는 닭이 필수다. 옛 단군조선 때부터 닭은 동이족 식량 자급의 한 축이 되었다. 평소에도 그랬다. 그런데 은구는 지금 그 일을 새롭게 한다. 당분간 알을 안 먹고 닭의 개체 수를 늘린다. 수탉을 팔고 암탉으로 계속 수를 늘려나간다. 가뭄으로 벌레가 늘어날 것이다. 은구는 한 술 더 뜬다.

“닭장 주변으로 올무를 만들어 놓아야 해. 이제 산에서 배고픈 산짐승들이 내려올 거야. 고기 실컷 먹게 해줄 테니까. 내

말만 따라. 알았어?"

비상한 비상대책을 세우고 있었다. 고하 소도의 아이들은 신이 났다. 배고픈 큰 가뭄의 시절이 왔는데 은구는 오히려 신이나 보였다. 올무. 닭장을 노리는 짐승들을 은구는 간파하고 그 고기를 먹자고 한다. 그래서 현고와 초로, 단복은 그런 은구를 보며 다른 얘기를 해줄 것이 없다. 이미 은구는 격물의 이치를 터득한 것 같았다. 은구는 불편함이 없는 아이들을 또 골라 힘든 일을 시키고, 몸이 불편한 아이들에게는 그 아이가 할 수 있는 간단하고도 가벼운 일만 시켰다. 안전한 일. 그렇게 일을 나누고… 노는 모습, 그런데 거기에서 아이들은 먹을거리를 얻는다. 은구는 놀면서 먹이를 찾아낸다. 그 눈썰미가 보인다. 이제 은구는 열네 살이 되었다. 남다른 혜안(慧眼)을 가진 소년으로 성장해 있었다.

"저수지다-"

한성백제는 바다와 강, 그리고 저수지가 많다. 이는 가뭄에도 어느 정도의 농사를 짓기 위해 원지(園池)를 많이 만들어 놓았기 때문이었다. 수리농업이 발달해 있었다. 바다에는 아무리 가물어도 고기가 있다. 강에는 가물면 물이 마르고 웅덩이들이 생긴다. 거기 물고기들이 많이 있다. 은구는 그것을 보고 있다. 다른 이들이 배고파할 때, 은구는 물이 마른 강을 찾았다. 개천에서도 찾았다. 고기들이 모여 있는 것을 알고 그곳으로 아이들을 데리고 다녔다. 돌아올 때면 한가득 미꾸라지며 장어며 떡붕어들이 망태에 가득했다.

은구는 어미 우아에게도 일렀다. 양을 늘리자. 무슨 소리인가 했다. 어린놈이 어른 같다고 우아에게 핀잔을 들었다. 은구는 자신의 나이 벌써 열넷이라고 목소리를 높였다. 혼인해도 된다고.

"양을 늘리면 돼요."

은구가 또 재촉했다. 우아는 물고기를 가지고 탕(湯)을 끓이고 있었다. 은구는 곡식을 가져왔다. 거기에 뿌리 열매도 가져와서 넣는다. 그러더니 아차 하며 밖으로 나간다.

"절대 내가 올 때까지 불 끄지 마-"

얼른 달려가며 아이들을 불렀다.

"얘들아…"

아이들이 따라나섰다. 무조건이다. 아이들은 은구가 하자고 하면 무조건 따라나선다. 왜일까. 지금까지 은구는 아이들을 실망 시키지 않았다. 열네 살 은구는 아이들에게 믿음을 저버리지 않는 대장이었다.

잠시 후-

은구와 아이들이 가져온 것은 미나리다. 미나리를 한 품에 가득 세 놈이 뜯어왔다. 은구는 초로가 가르쳐준 어독(魚毒)을 없애는 미나리를 생각해낸 것이다. 물고기만을 먹는 어부들에게 있다는 병을 미나리로 해독한다는 말을 들은 적이 있었다. 그 초로의 말을 받아 물고기탕에 미나리를 곡물과 함께 잔뜩 넣으면 양도 늘어나고 몸에도 이로울 터였다. 역시 그 미나리를 세 소쿠리 넘게 넣으니 물고기탕이 확 늘어났다. 곡식이 들어가고 뿌리 열매가 들어갔으며 미나리가 또 들어갔다. 그렇게 물고기 살과 뼈가 흐늘거릴 때까지 끓였다. 적은 곡식으로 모두가 먹을 수 있을 만큼의 물고기 죽이 되었다. 아이들은 배가 터지도록 먹고 또 먹었다. 가뭄이 들어도 은구네 고하 소도는 행복했다. 그렇게 산으로, 들로, 강으로 은구는 아이들을 데리고 다녔다.

먹이고 있었다.

그러나-

백성의 생활은 처참했다. 특히, 오랜 전쟁준비로 피폐해진 양민들이 문제였다. 과부나 노동할 사람이 없어진 집들이 이제는 더 연명하기 어려운 상태가 되었다. 비류왕이 급한 대로 단안을 찾아 내렸다.

"스스로 생활할 수 없는 자에게 한 가구당 곡식 서 말씩을 주어라."

왕실의 곳간은 물론 귀족 곳간도 열게 했다. 특히, 왕실의 곳간과 더불어 군량도 일부 풀게 했다. 반발이 심했다. 나라의 근간을 유지해야 한다는 주장이었다. 일리 있는 주장이었다. 그러나 왕은 단호했다.

"백성이 없는 나라는 허깨비나 다름없소, 백성을 먼저 구휼하도록 하시오!"

하늘의 시련은 컸다. 가뭄이 삼 년을 잇자 더는 왕실의 곳간도 버틸 수 없는 지경이 되었다. 최소한의 군량 외에는 이렇다 할 곡식이 남아 있지 않았다. 그래도 비류왕의 생각은 오직 백성이었다. 이 어려움을 이길 방안을 찾아야 했다. 지혜가 필요했다.

다행인 것은-

대륙백제가 사정이 조금 나았다. 대륙백제의 평원에서는 옥수수와 조, 수수, 보리 등이 잘 자랐다. 급히 메밀을 심어 농사를 대신하게 한 덕분에 메밀 생산량이 많아졌다. 그래도 한성백제로 곡식을 실어와 왕실 곳간을 겨우 채우고 귀족들이 나누고 나면 양민들에게까지는 돌아갈 몫은 없었다.

가뭄이 들자 양잠을 늘렸다. 왕비가를 동원해 봄과 가을 누에 치기와 명주실 만드는 것을 장려하고 그 보상으로 곡식을 나누어 주었다. 전쟁에서 남편을 잃은 과부들과 아이들에게 좋은 일거리였다. 이 일은 왕비 하료가 직접 맡아 구호를 겸했다. 가뭄이 들면 뽕나무는 더 짙어진다. 이때 만든 명주실로 짠 비단은 그 품질이 더욱 훌륭했다. 이를 역 이용한 것이다.

부역이다-

비류왕은 그렇게 생각했다. 더 가물어지면 사람들이 뽕잎이며 나무껍질을 벗겨 먹으려 한다는 것이다. 누에가 먹을 것. 사람들도 먹을 것이었다. 왕비 하료는 이를 엄히 다스렸다. 그리고 비류왕의 명에 따라 비단 생산에 박차를 가했다. 그러나 너나 할 것 없는 각 지역의 가뭄으로 비단을 팔 곳이 줄어들고 있었다. 그 값이 가을 부채처럼 시세가 없었다. 곡물이 귀할 때, 비단은 있으나 없으나 매한가지였다.

대해부다-

열도의 사정은 반도는 물론 대륙백제보다도 훨씬 나았다. 곡식이 풍부하게 생산되고 있다고 했다. 특히, 남만 쪽은 대풍작이었다. 이를 활용해야 했다. 비류왕은 이제 대해부가를 활용해야겠다고 생각했다. 한동안 소원했다. 대륙백제를 안정시키기 위해 모용씨족을 아우르다 보니 상대적으로 열도에 대해 소홀했었다.

방안을 마련하라-

우복을 불렀다. 대해부가와 접촉해서 열도와 남만으로부터 곡물을 싸게 사오도록 명했다. 유민들에 대한 구호 때문에 부족해진 재정을 채우고 곡물을 얻을 방안. 비류왕은 열도와 동남아 일원을 상권으로 하는 위(倭)의 대가인 대해부와 다시 한 번 결탁하고자 했다. 한성백제의 경제를 여러 지역, 여러 국가 간의 해상 무역체제로 개혁하고자 했다. 그래서 여러 경로로 대해부의 의견을 물었었다. 그러나 대해부는 이를 딱 잘라 거절했다. 이 일의 적임자는 우복밖에는 없다. 말솜씨 탁월한 우복을 대륙백제 안정화가 이루어지자마자 다시 한성백제로 불렀다. 그리고 우복을 열도 태사자로 임명하여 대해부에게 보내려 했다.

대해부는 마침 한성백제로 들어와 있었다. 선화의 종적을 찾기 위해 한성백제에 왔다가 큰 가뭄으로 굶주리는 백성을 보았다. 선화의 실종으로 마음이 심하게 상한 대해부는 비류왕의 면담 요청에 이런저런 핑계로 피했다. 비류왕은 알고 있었다. 만나기 싫어하는 것을. 그 마음을 알기에 대해부의 무례를 용서하고 그 마음 상한 대해부를 어떻게 달랠 것인가를 고민했다. 우복을 내세웠다. 비류왕 여호기는 대해부가 자신이 아닌 왕비 하료를 선화 실종의 근원으로 의심한다는 것도 알고 있었다. 그래서 우복을 내세운 것이다. 우복은 대해부의 마음을 아는 또 다른 한성백제의 권력자 중의 하나였으며 동시에 왕비 하료와는 외부적으로는 아무 관계가 없는 자였으니 이를 활용하려는 것이 비류왕 여호기의 생각이었다.

가장 소중한 딸을 잃은 아비. 그 아비는 한성백제의 왕비로 하료가 있는 한, 돕고 싶은 생각이 없다. 이런 대해부의 고집이 비류왕을 곤란하게 했다. 비류왕은 우복에게 대해부의 의중을 넌지시 일러 주었다. 왕비 하료에 대한 의심과 반감.

상한 마음을 어찌해서라도 잘 풀어보라—

우복은 더 잘 알았다. 왕비 하료가 실제로 자객을 보냈다. 자신에게 죽여 달라고도 했다. 그런데 이제 그 아비를 우복이 만나야 했다. 대해부의 복수심도 이용해야 했다. 묘책을 세워야 했다.

우복은 태왕후 하미를 만나고 있었다. 왕비 하료는 사촌 동생이자 태왕후 하미를 부담스러워 했다. 또 한 여인으로서는 가엽게 생각하고 있었다. 그래서 만나게 해주었다. 우복을 불러 같이 시간을 보내도록 왕비 하료가 나서기도 했었다. 둘이 젊은 날 정분이 나 있었다는 것을 알고 있던 하료는 우복에게 명했다. 태왕후를 돌봐주도록. 우복은 그런저런 이유로 가끔 하미를 만나 몰래 회포를 풀곤 했다. 왕비의 묵인이었다. 이는 하료가 쳐놓은 올무이기도 했다. 훗날 왕자 설거가 분서왕의 적자를 자임하면, 그래서 방해가 된다면, 태왕후 하미와 우복의 관계로 그들의 정통성을 상실하게 한다는 계획. 오직 다음 왕은 왕비 하료의 아들 중에서 되어야 한다. 이런 생각을 가진 왕비 하료의 묵인 아래, 태왕후 하미와 우복의 만남은 이어지고 있었다.

태왕후 하미는 분서왕 생전부터 우복과 통정했다. 그 결과 우복의 씨를 받아 분서왕의 아들 설거를 낳았다. 그 설거가 자라는 모습과 가끔 찾아오는 우복을 만나는 낙으로 산다. 하미는 하료에게 고마워했다. 하료는 우복과 자신의 관계를 알아챈 것 같았다. 그래도 오히려 하료는 하미와 우복을 더 만나게 해주었다. 일부러 우복에게 하미를 돌봐줄 것을 명하기도 했다. 왕비의 명이니 우복은 한 달에 한 번 이상은 하미를 만나야 했다.

이거다-

우복은 찾았다. 대해부를 설득할 묘수를 드디어 찾아냈다.

설거다-

왕자 여설거. 분서왕의 아들. 왕재(王才). 우복은 설거를 흑천의 현녀에게 보여주었다. 놀랍게도 현녀가 본 신탁은 분명히 왕재(王才)였다. 왕이 될 아이. 대천관 신녀 또한 그렇게 보았다. 그러나 대천관 신녀는 하료에게 그 말을 하지 않았다. 그 말이 가져올 평지풍파(平地風波)를 대천관 신녀는 잘 알고 있었다. 비류왕 여호기가 설거를 자신의 친아들인 걸걸과 걸서 못지않게 귀하게 여긴다는 것을 알고 있는 대천관 신녀는 혹시 그럴 수도 있다고 보았다. 설거가 왕이 될 수도 있다. 비류왕 여호기는 자신의 아내 왕비 하료를 외면하고 있다. 그녀의 아들들 또한 큰 애착이 있을 수 없었다. 그가 쏟아 부은 사랑과 아이를 잃고 그렇게 사랑을 줄 곳을 상실한 사람이다. 그 사랑이 불쌍해진 설거에게는 불행 중 다행이었다. 왕자 설거를 돌보겠다는 비류왕 여호기의 의지는 부친(父親)의 정(情)보다도 강해지고 있었다.

비류왕도 좋은 생각이라고 맞장구를 쳤다. 하료에 대한 거부감을 극복하는 동시에 대해부의 심기를 자극할 수 있었다. 불쌍한 아이. 선화의 아이도 설거만 했을 것이다. 문득 설거가 애틋해졌다. 그런 점을 잘 활용하라고 했다. 설거를 태사공으로 태사자 우복의 보필을 받아 열도로 가라고 명했다. 비류왕의 양아들로서 열도 위(倭) 야마다 비미호와 친분 관계를 맺게 했다. 왕비 하료 또한 국가가 어려운 상황에서 비류왕의 결단을 막을 수는 없었다. 자신 또는 자신의 아들이 대해부와 접촉하는 것은 또 싫었다. 그것은 남아 있는 하료의 자책감 또는 죄책감 때문이었다. 대해부가 자신을 의심하리라고 당연히 생각하고 있었다. 그런데 그런 자에게 자신의 아들을 맡기는 것은 더 위험한 일이었다. 하미의 아들 설거가 제격이었다. 우복의 묘수에 다들 동의했다.

왕재(王才)-

하늘은 왕을 내리지 않는다. 왕이 될 재목을 내릴 뿐. 그 재목이 어떻게 자라서 어떤 왕이 될 것인가는 그의 선택에 달렸다. 이는 오랜 벗이자 스승인 옛 단군조선의 대선사께서 대해부와 나누었던 얘기다. 다만 좋은 자질이 더 나은 선택을 하게 한다. 주변 사람들은 왕을 보는 것이 아니다. 왕재를 본다. 왕의 재질이 있는가? 없는가? 왕의 재목인가 아닌가. 그런데 왕재다!

대해부가 본 태사공 왕자 여설거는 분명히 왕재였다. 비류왕 여호기의 친아들 걸걸과 걸서는 왕재가 아니다. 분명히 아니다. 옛 단군조선의 대선사 말대로 관상에서는 대해부가 한 수 위라고 자부하고 있는데… 설거는 왕재다. 뚜렷하다. 왕의 기질과 호목(虎目). 이런 상(相). 어째서 백제 대천관 신녀는 이를 왕비 하료에게 말하지 않을까. 하료는 알고 있을까? 안다면 역시 가만 놔두지 않을 텐데…

그 마음-

할아비의 마음이 되어 버렸다. 설거를 보고 대해부는 선화의 아들을 떠올렸다. 선화. 절대무왕의 어미가 될 사주였다. 그런 선화가 사라졌다. 뱃속에 든 아이도 사라졌다. 대해부는 반드시 살아 있다고 믿었다. 그렇게 호락호락 사라질 운명의 끈이 아니라고 믿었다. 반드시 열도 천하를 통일할 절대무존이 선화로부터 나올 것이라 믿고 있던 그 믿음을 대해부는 버리지 못했다. 그 안타까움이 설거에게 마음을 열고 있었다.

"신녀가 보고 싶다고요?"
"예…"
"한 신녀 여왕은 이십 대 중반이고요. 또 하나는 겨우 일곱이옵니다. 누구를 원하십니까?"
"둘 다 보고 싶습니다."
"둘 다요?"
"예"
"왜요? 왜 둘 다 보고 싶습니까?"

“한 분은 지금 비미호 여왕이실 테고… 또 하나는 차기 여왕이시니… 제가 뵙고 오늘의 백제와 내일의 열도에 대해서 얘기를 나누고자 합니다.”

열 살 설거는 당당했다. 그렇게 말하는 모습에서 대해부는 미래를 보았다. 설거를 보는 대해부의 태도에서 우복은 이번 거래의 성공을 느꼈다.

됐다-

왕이 되기 전 평민의 생활을 했던 비류왕은 백성을 전쟁으로 몰아세우는 것을 싫어했다. 정복을 통해 국가의 부(富)를 얻고 패권(霸權)의 군주(君主)가 되는 것에 회의감을 가지고 있었다. 이겨도 피가 묻는 전쟁이 아닌 다른 방법, 새로운 방법으로 국가의 부를 늘리고 백성을 편안하게 하고자 했다.

옛 단군조선의 선인들은 그런 비류왕에게서 미래의 절대 왕재를 보게 된다. 자신도 어려운 처지에 백성을 먼저 생각하는 마음이 반드시 고난을 뚫고 새로운 영웅의 탄생을 만들 것이라 믿게 되어 그 주변을 살피기 시작했다. 그중에서도 비류왕 여호기를 가장 잘 아는 사람이 하나 있었다. 근자부였다. 근자부는 그러나 비류왕 여호기가 그렇게 애타게 기다리고 있건만 단 한 번도 나타나지 않고 있었다.

그 근자부-

한성백제에 있었다. 근자부는 대천관 신녀를 은밀히 만났다. 왕재로서의 설거를 보아주기를 원했다. 근자부는 설거를 보기로 했었다. 그런데 왕자 설거가 대해부 상단과 함께 급히 열도로 떠났다고 했다. 이틀 뒤에나 온다고 했다. 안 보아도 그만이었지만 대천관 신녀가 간절히 원했다. 무엇인가 해답이 필요한 것 같았다. 그래서 보기로 했다. 하지만 실상 근자부가 한성백제에 온 것은 왕재 문제가 아니었다. 자신의 운명이 다해가고 있음을 알고 있었다. 반드시 보아야 할 사람이 따로 있었다. 현고와 초로, 단복에게 맡긴 아이를 보아야 했다. 그 아이를 보고 망자의 섬으로 데려가 후계자로 삼으려 했다. 그래서 그 일로 한성백제에 온 것이었다.

"데려가시겠습니까?"
"그럴 생각이네."

수두객점에서 근자부는 초로와 단복을 만났다. 그리고 은구에 대해서 듣고 있었다. 근자부는 생각했다. 왕자 여설거를 만나고 나면 비류왕 여호기를 한 번 보리라. 그리고 은구를 데리고 망자의 섬으로 가서 후계를 삼을 생각이었다. 초로와 단복에게 보름 후에 찾아가겠다고 했다.

대해부와의 협상이 매우 잘 됐다-

열도와 한성백제의 관계가 다시 복원되었다. 한성백제에 열도와 남만, 동남아 일원의 곡물이 들어오기 시작했다. 우복의 흑우가 상단에서 비단과 각종 약재, 그리고 대륙백제의 철정과 가죽들을 대해부 상단에 넘기게 되었다. 게다가 은밀한 거래도 생겼다. 반도 각지의 유민들이 몰리면서 치안 유지가 어려워진 우복은 대해부 상단과 노예무역도 제의했다. 무한정 올라가는 곡물 값을 다른 물품으로 대체하기가 어려운 사정을 참작하면 좋은 제안이었다. 노예는 우복이 대기로 했다. 대해부는 왕자 여설거를 데리고 열도를 다녀와 큰 성과를 한성백제에 주었다.

대해부는 설거를 보며 마치 선화의 아들이 살아오기라도 한 것처럼 좋아했다. 한성백제와 교류에 마음을 열었던 것이다. 왕자 여설거에게 힘을 보태주고 싶었다. 그래서 급히 열도와 한성백제를 오가며 왕자 여설거의 실적을 만들어 주고 있었다.

한성백제에 와서 짐을 푸는 동안, 왕자 여설거와 상단 별채에서 한적하게 바둑을 두며 시간을 보내고 있는데… 손님이 찾아왔다고 했다. 모시라고 했다. 백제 대천관 신녀의 소개였다. 이미 그 손님은 이틀 전 대해부가 상단을 방문했다고 했다. 손님이 들자 깜짝 놀랐다. 오랜 벗이자 스승으로 여기는 대선사가 찾아왔던 것이다.

"아니, 대선사께서 여긴 어인 일로…."

"저야, 세상을 떠도는 처지인데 어딘들 못 있겠습니까?"

"그러시지요. 그럴 겁니다. 그래도 한성백제에서 뵈니 더 반갑습니다."

"상단이 여기 있더니. 그래도 대가께서 한성백제에… 있을 줄은 몰랐습니다."

"예. 다시 한성백제와 교역을 늘리려 하고 있습니다."

"좋은 일입니다. 그런데… 이 아이…"

"예… 비류왕의 양자, 여설거 왕자님이십니다."

"아, 예…"

대해부와 근자부는 바둑을 두었다. 그 옆에서 훈수를 두는 설거를 보았다. 그리고 한눈에 알아봤다. 왕재(王才)다. 말솜씨며

행동거지며, 아래 사람을 다루는 재주도 보였다. 근래 보기 어렵던 대해부 웃음이 입에 연방 걸린다. 근자부는 속으로 남모를 한숨을 내쉰다. 저 아이와 여호기…. 그리고 여호기의 아들들… 그리고 자신이 알고 있는 또 다른 아이가 하나 있었다.

그 왕재들-

도대체 절대무왕의 전설은 어디서 어떻게 깨어날꼬. 그런 생각으로 근자부는 왕자 여설거를 보았다. 설거는 분명히 왕이 될 수 있는 아이였다. 근자부는 설거의 신품(身品) 하나를 얻었다.

하늘이시여. 당신의 조화를 알 길이 없나이다. 오래 살아온 세월도 인간의 무지를 깨치는 데는 부족한 가 봅니다. 진정 하늘의 뜻을 다 헤아릴 수 없나이다. 설거. 이 아이는 무엇이란 말인가. 근자부는 천기령 칠성단으로 향했다. 오랜 가뭄으로 모든 생물들이 너무 말랐다.

비류왕 10년. 312년. 봄, 여름 가뭄이 크게 들어 풀과 나무가 마르고 강물이 말랐다. 애가 탄 왕의 시름이 깊어진다. 음력 7월. 근자부는 비류왕을 위해 기도하기로 했다.

天 하늘의
二 다른 것은
三 삼이고
地 땅의
二 다른 것도
三 삼이며
人 사람의
二 다른 것도
三 삼이다

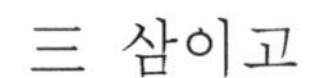

三 삼이고

스승 근자부가 왔다. 한성백제에 있다. 백제 대천관 신녀에게 근자부의 얘기를 듣자마자 비류왕 여호기는 화를 벌컥 냈다.

왜 내게 말하지 않았는가-

한성백제에 스승 근자부가 와 계시다는 것을 가장 먼저 내게 말하지 않았는가. 불같이 화를 내었다. 대천관 신녀는 어쩌면 자신보다 더 자신의 아비를 비류왕 여호기가 의지한다고 생각했나. 사람을 풀어서 찾아볼까요. 하고 말을 건넸다. 그러면 오실 분이십니까? 사람들에게 잡히실 분이십니까? 그랬다. 그럴 사람은 아니다.

"아비는 곧 폐관하신다고 합니다. 폐관 전에 한 번 왕을 뵙고자 했습니다. 오랜 왕실과의 일도 상의해야 한다고 했습니다. 잠시만 기다리시면 찾아오실 겁니다."

"언제 오실까요. 저는 더는 못 기다리겠습니다."

근자부를 만나고 싶은 비류왕 여호기는 백제 국사(國師)로 근자부를 임명해 놓은 상태였다. 그러나 근자부가 이를 알 리 없었다. 왕궁으로 들어오기가 어렵고 또 민망해할 것이다. 근자부를 누구보다 잘 아는 여호기였다. 대안을 만들고자 했다.

"왕께서 신궁으로 곧 납시어서 천제를 지내신다."

사방에 소문을 내게 했다. 근자부. 스승님은 올 것이다. 가뭄을 극복하기 위해 7월 초. 천제를 지내기로 했다. 벌써 석 달째 비가 제대로 온 적이 없다. 이는 모두 왕의 탓이다. 왕이 부덕해서 일어난 일이다. 오랜 가뭄의 탓은 당연히 왕이었다. 비류왕에게 절대적 지지를 보내는 백성도 서서히 그렇게 생각하고 있다는 것이 비류왕을 힘들게 하고 있었다. 삼 년 가뭄에 제 식솔 굶어 죽으니 당연한 민심이었다. 스승 근자부를 만나 이런저런 이야기를 하고 싶었다.

왕이 신궁으로-

알아들었다. 근자부는 비류왕 여호기의 마음을 읽었다. 여호기가 왜 비류왕이라는 시호를 사용했을까. 그런 아이가 여호기다. 자신의 의도를 대놓고 말하는 것이 아니라 에둘러 말한다. 그러나 적절한 때가 되면 냅다 들이댄다. 비류왕. 자신을 그렇게 부르게 했다. 대륙백제의 관계를 밝히면서 한성백제에서 대륙백제로 지원하지 않고, 전쟁도 안 하고, 그렇게 백성을 다스리겠다는 뜻이다. 그런 여호기의 말뜻을 이 세상에서 가장 잘 알아듣는 이가 바로 근자부다.

"스승님!"

이게 얼마만 인가. 벌써 십여 년이 훌쩍 넘었다. 아니 십오 년이 다 되어 간다. 그렇게 달라져 있었다. 오랜만에 보는 스승 근자부는 신선이 다 되었다. 허연 구름이 머리에도, 턱에도 둥실 멋들어지게 더해져 있다. 곳곳이 메워져 있는 옷차림새. 옛 모습 그대로다. 비류왕은 얼른 큰절을 올렸다. 신궁의 시녀도 왕의 근위와 태감도 일순 놀랐다. 비류왕이 허름한 노인네에게 넙죽 절을 한다. 그 노인. 눈 하나 까딱 않고 왕의 절을 받는다. 근자부와 여호기다. 여호기는 마치 아이 때로 돌아간 것 같았다. 요즘 너무 힘이 들었다. 3년 가뭄으로 백제가 골병들고 있었다. 겨우 열도와의 교역으로 숨통을 틔웠는데 아직도 가뭄이다. 그런 생각이 들자 괜히 왕이 되었다고 후회도 밀려왔다. 스승 근자부와 세상을 활보하던 그때가 그리웠다. 그런데 근자부가, 스승님이 나타난 것이다. 이 얼마나 좋은지. 이참에 아예 스승을 백제(百濟) 국사(國師)로 눌러 앉혀야겠다고 마음먹었다.

"왕께서는 제게 명하셨습니다."

근자부는 오래된 얘기, 즉 고이왕과 책계왕이 자신에게 내린 명(命)에 대해 설명하기 시작했다. 반드시 알아 오라는 소서노 모태후의 비기(秘器), 그리고 절대무왕의 전설에 대해 말했다. 그리고 왕실 서고에 있는 모태후 유훈을 읽어보라고 했다. 그것은 비류왕이 선왕으로부터 왕이 되기 위한 훈련을 받지 않았기에 전혀 알지 못하는 것들이었다. 할아버지 왕이 손자에게 해주는 극비(極秘)의 모태후 소서노의 유훈. 그것을 찾아 읽으라 했다. 그리고 백제의 새로운 미래를 열 절대무왕이 등장한다는 전설과 이제 그때가 되었다는 대목에서는 자신의 비사도 꺼내었다.

근자부는 백제 대천관 신녀 현녀와 정을 통했다. 그날. 비가 억수로 내리던 그날에 자신은 자신을 제어할 수가 없었다. 신녀 현녀는 근자부를 살리기 위해 통정을 해야 했다. 백제 당시 최고의 무예 전설이었던 근자부는 왕이 주는 어주(御酒)를 받아 마셨다. 그리고 왕명으로 신녀 현녀를 신궁까지 모셔다 드렸다. 신궁 밀실에서 왕의 밀지를 열어보았다. 이는 고이왕의 엄명 중의 엄명이었다. 명을 받았다. 뭔가를 찾아야 했다. 그런데 그 순간. 신궁 밀실에서 근자부가 주화입마(走火入魔)에 빠졌다. 갑자기 기(氣)가 역류하고 핏줄이 곤두섰다. 그리고 폭발할 듯 성이 났다. 미혼약에 중독된 것이다. 신녀 현녀는 그런 근자부를 도우려 했다. 그의 손을 잡았다. 근자부는 현녀의 손을 놓고 자신의 혈을 눌러 막으려 했다. 현녀더러 도망치라 했다. 자신의 곁에서. 그러나 현녀는 보았다. 근자부에게 시간이 없었다. 그랬다. 최음제에 중독된 근자부는 현녀의 도움이 간절했다. 그런 근자부를 주화입마에 빠져 죽게 놔둘 수는 없었다. 신녀는 근자부를 품었다. 그리고 그 무지막지한 시달림을 당해야 했다. 그리고 그 뒤로부터 둘에게는 고민이 생겼다. 신궁 신녀가 백제 제일의 무사와 연분(緣分)에 빠진 것이다. 죽을 일이었다.

둘 다-

대천관 신녀 진혜도 처음 듣는 얘기였다. 그랬구나. 그래서 내가 태어났구나. 이런 연유로 자신은 왕비가의 손에서 자라났구나. 그러면 내 어미 신녀, 현녀는? 그런 생각이 들었다. 비류왕 여호기로서도 처음 듣는 백제 왕실과 근자부의 얽히고설킨 얘기였다. 그리고 근자부는 명(命)을 받았다고 한다.

광명천(光明天)을 찾아라-

고이왕은 근자부에게 광명천을 찾아서 소서노 모태후의 비밀을 풀어 오라고 했다. 옛 단군조선의 치세지경을 찾아내라고 했다. 옛 단군조선이 광활한 대륙과 반도 등을 다스릴 수 있었던 그 비밀을 알아오라고 했다. 그때는 이미 신궁 현녀가 임신한 상태였다. 근자부는 왕명을 따를 수밖에 없었다. 둘 다 죽을 운명에서 왕명을 얻어 겨우 살 수 있었다. 그것으로 천행이라고 생각했다.

몇 년 뒤, 한성백제에서 현녀도 사라졌다. 아이, 즉 대천관 신녀는 왕비가의 손에 맡겨졌고 현녀 또한 근자부의 뒤를 이어 그 전설을 찾으러 떠났다는 소식을 듣게 되었다. 근자부는 대륙과 열도, 반도 곳곳의 소서노 모태후의 흔적들을 찾아다녔다.

망자의 섬에서 그는 외지인으로 유일하게 선인(仙人)으로 받아들여졌다. 망자의 섬 차기 수장을 뽑는 대회에서 우승한 것이다. 근자부는 오로지 가족과 백제를 위해 소서노 모태후의 전설을 꼭 찾으려 했다. 그렇게 천하를 뒤지던 중 소서노 모태후의 본가가 있던 요하 강변에서 근자부는 처음 여호기를 만났다. 아직 소서노 모태후의 전설은 찾지 못했다. 다만 망자의 섬에서 백제 태자를 지원해야 하는 옛 단군조선의 치우대 무인들과 소서노 모태후 간의 비밀 거래를 찾아냈을 뿐, 망자의 섬 어디엔가 있다는 동명성왕검 또한 아직 찾지 못했다.

근자부의 말에 비류왕 여호기와 대천관 신녀는 아스라한 슬픔과 인생무상을 느낀다. 대천관 신녀 진혜의 눈에는 어느새 눈물이 흐른다. 그렇게 자신의 부모가 그리고 자신 또한 고이왕의 뜻에 따라 사방팔방 갈라지고 찢겼구나. 이제야 알게 되었다. 순간 고이왕이 원망스러워졌다. 그러나 고이왕도 야심 많던 책계왕도 모두가 이 세상 사람들이 아니다. 부질없는 짓. 새삼 아비 근자부의 주름이 가여워진다.

이제 이 일을 끝마칠 때가 되었다–

근자부는 그렇게 생각했다. 자신의 식솔을 힘들게 했던 그 일. 절대무왕의 전설이 열릴 때가 온다. 새 시대를 위해 이제는 고이왕의 뜻도 소서노 모태후의 유훈도 아닌 자신의 뜻, 아니 하늘의 뜻에 따라 그 일을 하려고 한다. 그 끝을 보려고 한다. 그렇게 비류왕 여호기에게 말했다.

반드시 찾아서 주마–

그것은 애정이었다. 자신이 살려서 키운 자식 같은 제자 여호기에게 주고 싶은 아비의 마음이었다. 비류왕 여호기는 그것을 느낀다. 국사(國師)를 맡긴다고 맡을 분이 아니다. 오직 자신에게 남겨진 소명을 이루려 하신다.

"동명성왕 묘에서 칠월칠석 기우제를 지내시지요."

근자부가 말했다. 비류왕은 그리하겠다고 했다. 신궁에 동명천제를 지낼 준비를 하라 일렀다.

그날 저녁 근자부는 비류왕과 술잔을 나눴다. 옛날 시장 터에서 마시던 탁주만큼 맛있지는 않지만 그래도 아비 자식 같은 둘이 마시니 모든 시름이 가신 듯 했다.

가뭄-

비류왕은 지난 3년간 가뭄에 시달렸다. 올해 역시 봄부터 시작한 가뭄은 여름에 들어서도 크게 나아지지 않았다. 풀과 나무가 바싹바싹 마르고 얕은 저수지는 바닥을 드러냈다. 강물도 마르고 있었다. 애가 탄 비류왕의 시름이 더욱 깊어졌다. 음력 7월 초. 근자부는 비류왕을 위해 기도하기로 했다. 그 마음으로 동명성왕 묘에서 다시 천제를 지내라고 한 것이다. 칠월칠석 전날 견우와 직녀가 만난다는 그날. 하늘에서 비가 오기를 바라는 마음으로. 비류왕은 그 얘기를 듣고 눈물이 흘렀다. 선화가 실종된 날. 그래서 그날은 아무것도 못하고 누구와도 대화하지 않았었다. 그날 동명성왕 묘에서 기우제를 올리기로 했다. 겸해서 선화의 천도재도 지내리라. 이제야 그런 생각을 하게 됐다. 그렇게 근자부와 비류왕은 술에 취했다. 비류왕은 근자부에게 언제든지 백제의 국사로 입궁하시라고 했다. 근자부는 그럴 일 없다고 일언지하 딱 잘랐다. 빙그레 웃고 마는 스승의 얼굴에서 국사를 권하는 자신이 어리석다고 생각했다. 그 아침에 비류왕은 사라진 스승의 자리를 매만졌다. 그렇게 또 흔적도 없이 스승 근자부는 사라졌다.

여기입니까-

천기령 제4 용소 옆에 칠성단이 쌓여 있었다. 그 여인을 위해서도 근자부는 제를 올리기로 했다. 14년 전, 그곳에 제를 지내자고 현고에게 기별을 넣었다. 꼭 은구를 데려오라는 당부도 단단히 했다. 망아와 은구 형제는 제구(祭具)들이 담긴 짐과 제물을 들고 올라왔다. 근자부가 늦었다. 그때처럼.

칠성단에 묻은 여인. 그 돌무덤이 그대로다. 은구의 어머니가 묻힌 곳. 우아는 눈물이 먼저 났다. 돌무덤을 쓰다듬으며 운다.

잘 키울게요. 그렇게 약속했는데-

미안해요. 찾아오지 못해서. 그렇게 우아와 현고는 미안해했다. 그 표정. 아이를 살리고자 배를 가를 때 우아는 그 여인이 아이를 구해주세요. 그리 말하는 것 같았다. 우아는 은구를 키우는 동안 정말 행복했다고, 은구를 키우는 것이 너무나 기뻤다고 속으로 말했다. 은구 때문에 너무 행복해서 더욱 미안하다고도 했다.

'어머니가 왜 그럴까?'

은구는 우아가 이상했다. 아까부터 자꾸 흐느끼는 것 같았다. 아무리 비가 안 온다고 해도 그렇지.

"어머니 왜 그래?"

어머니. 그 얘기에 돌무덤이 놀랐는지 까치 한 마리가 까–악– 울었다. 흠칫 사람들이 놀랐다. 은구가 어머니하고 말하자… 그러자… 사람들은 14년 전 비가 오던 그날을 기억에서 떠올린다. 물에 피를 다 빼앗긴 얼굴의 칼자국과 목을 관통한 칼. 그리고 그 휑한 눈. 아이를 부탁한다는 말이 들리는 것 같았다. 제 어미를 제물로 태어난 놈. 얼마나 큰 뜻이 있기에 제 어미가 제물이 되어 너를 세상에 내놓은 것이냐. 은구의 어머니 소리에 사람들의 눈이 은구를 향했다.

왜들 이래–

오늘 다들 왜 이래? 이 말을 해주고 싶은데… 은구를 보는 사람들의 표정이 심상치 않았다.

하필, 왜 여기인가-

현고는 그렇게 생각했다. 오늘. 칠월칠석. 십사 년 전에는 비가 많이 왔다. 그런데 오늘은 비가 오게 해달라고 기도할 것이다. 이런 사연을 모른 채 밝은 표정을 짓는 은구를 사람들은 불쌍히 여긴다. 망아와 은구. 도대체 어른들이 왜 이리도 침울한지 모르고 둘이서 장난질이다. 우아는 자꾸 올라오는 울음을 참느라 애를 쓴다.

불쌍한 아이다-

은구는. 아무리 행복해도 은구는 정말 불쌍한 아이다. 자신의 생모도 신분도 모른다. 그 처참한 죽음에 대해 저 해맑은 아이에게 어떻게 얘기할 것인가. 못한다. 저 아이. 그 얘기를 들으면 저 성질에 아마 죽을 것이다. 세상을 원망하며 크게 변할 것이다. 오늘 이 자리에서 제발 아무 일 없기만을 우아는 빌고 또 빌었다. 그렇게 돌무덤 속의 그녀에게 또 빌었다.

줄다리를 치우면 아무도 들어오고 나갈 수 없는 곳. 천제를 지낼 준비가 다 되었다. 오늘 밤을 꼬박 새울 것이다. 늦은 밤.

그날과 같이 비가 오면 좋으련만… 현고는 하늘을 보았다. 북두칠성이 짙다. 비가 오기는 틀렸다. 그 생각을 막 하고 있는데 근자부가 왔다.

"다 준비되었나?"

그 소리에 초로와 단복, 현고와 우아가 고개를 숙여 근자부를 맞이했다. 망아와 은구도 얼결에 같이 고개를 숙였다. 고개를 들자 은구가 신선 같은 모습의 근자부를 보고 아, 감탄했다. 망아도 근자부가 멋지다고 생각했다. 그런데 그런 은구를 보고 근자부가 놀랐다.

"호기야…"

아니다. 여호기가 아니다. 그런데 여호기와 똑 닮았다. 이리도 닮을 수가. 여호기를 키운 사람이 바로 근자부다. 그런데 이렇게 닮을 수가… 쌍둥이다. 세월을 건너뛰어서 이리도 닮은 사람을 본 적이 없다. 근자부는 자신의 앞에 있는 은구를 보면서도 믿을 수 없었다. 여호기 그대로다.

여호기다–

현고도, 초로도, 단복도 근자부의 그런 표정을 본 적이 없었다. 십여 년 만에 만나서 근자부는 호기라고 은구를 불렀다. 이상했다. 근자부는 그 이후로 입을 무겁게 닫았다. 그리고 하늘을 보고, 돌무덤을 매만졌다.

무슨 생각을 저리 깊게 하실까-

하늘이… 하늘이 다르다. 다른 뜻이 있나. 아니면 왜 이렇게 다른가. 이 아이도 왕재다. 그러면 얼마 전, 대해부가에서 본 설거와 이 아이 어떤 관계인가? 또 이 아이는 왜 여호기를 똑 닮았는가. 참 이상한 일이다.

근자부는 엊그제서야 여호기에게 사랑하는 첩이 있었다는 것을 얼핏 들었다. 그런데 그 여인이 자신이 알고 있던 비미호 여왕 선화라는 사실을 모른다. 지금도 열도 야마다에서는 비미호 여왕이 살아 있었기 때문이었다. 아직 죽지도 사라진 것도 아닌 것으로 되어 있었다. 그래서 근자부는 설거와 대해부를 연결해, 말도 안 되는 생각을 했었다. 손자같이 대하는 대해부를 보면서 설거가 여호기의 숨겨둔 아들일지도 모른다고 오해하고 있었다. 열도에서 여호기가 비미호 여왕과 사이에 정분이 났었다는 극비의 정보를 들어서 알고 있었다. 워낙 은밀한 이야기여서 더 자세한 얘기는 듣지 못했다. 그래서 근자부는 비미호 여왕과 태사자 여호기, 그리고 태자 여휘, 즉 분서왕의 관계가 얽히고설킨 것으로 여겼다. 열도 태사자였던 여호기와 비미호 여왕과 사이에서 설거가 낳아져서 태자 여휘, 즉 분서왕의 아들로 있다가 분서왕이 죽자 그래서 양자로 받아들인 것으로 생각했다. 대천관 신녀가 설거를 살펴 달라고 했던 것도 그 생각을 더 굳게 했다. 그런 이유로 처음에는 설거가 왕재(王才)라는 것을 읽고 좋아했다. 대해부에게 저 여설거를 잘 돌보라고. 당신의 뜻을 이루게 해줄지도 모른다고 덕담까지 해줬다.

또 있다-

그런데 은구를 보고서 그 마음이 달라졌다. 설거에게서는 여호기가 느껴지지 않았다. 설거도 왕재였지만 여호기의 기질은 아니었다. 그런데 은구에게서는 그것이 느껴진다. 그것. 다른 왕의 기질이 느껴진다. 그만큼 여호기와 은구는 닮아 있었다. 그러나 근자부는 자신이 얼마 전에 비류왕 여호기와 만나 함께 옛 추억을 헤맨 까닭에 그 기질이 비슷한 은구를 만나자 더욱 비슷해 보인 것이 아닌가 하고 생각을 정리했다. 차근차근 더 생각해보아야 했다. 도무지 실타래가 풀리지 않았다.

비가 와야 했다-

삼 년을 이은 가뭄이었다. 대기근이 들었다. 사람들이 서로 잡아먹는다는 말이 횡횡했다. 전쟁보다 더 무서운 것은 하늘이 내린 재앙이다. 그동안 현고와 우아는 기근에 빠진 유민들을 돕기 위해서 동분서주했다. 현고의 고하 소도에는 지금 기근으로 떠돌던 사람들이 더 모여들고 있었다. 망아와 은구도 그런 현고를 도와야 했다. 유민이 늘고 사는 것이 어려워지니 은구가 매우 의젓해졌다. 초근목피로 먹을 것을 만들어야 했다. 봄날과 여름날의 들풀들을 독초와 나물로 나누고 독초 또한 중화시켜 약재로 쓰거나 먹을 수 있게 했다. 나물들은 매우 좋은 구황식물이다. 봄나물을 모아 말렸다. 오래 보관해서 그것들과 조, 피, 기장을 섞어 죽을 만들었다. 칡을 캐서 씹어 먹기도 했다. 굶어서 배에 물이 찬 아이들에게 약물을 만들어 먹이기도 했다. 비록 나이는 어렸지만, 은구는 사람을 구하는 일에 즐거이 나섰다. 현고와 초로, 단복은 옛 단군조선의 비법들로 기근에 빠진 백성을 구호했다. 그것이 소도의 또 다른 역할이었다. 소도 사람들을 위해서도 비가 오기를 빌어야 했다.

"자, 너부터 절을 세 번 해라…"

"예? 왜 저부터 하라 하십니까?"

이상하다. 근자부는 먼저 은구에게 세 번 절을 하라 일렀다. 돌무덤이 칠성단이 되었다. 제물이 올라가 있었다. 그 칠성단에 예를 갖추고자 했다. 은구. 당신 아이가 이렇게 컸습니다. 그 돌무덤에 누워 있을 여인에게 말 해주고 싶었다. 근자부는 지금은 말 못하지만 언젠가 당신의 그 큰 한(恨)을 풀어줄 그 애라고 속으로 말했다.

"네가 제일 어리잖아. 인마…"

초로가 한마디 거들었다. 어린놈이 먼저 하는 거다. 그래 그런 거다 해서 은구는 등 떠밀려서 절을 했다. 그런데 우아가 울어 버렸다. 은구는 다른 생각을 하면 안 된다고 생각했다. 어떤 것이든 이 자리는 사연이 있다. 은구 자신과 무슨 관계가 있을 수도 있는 것 같았다. 그래서 두 번째부터는 더욱 공손하게 절을 했다. 진심으로 하늘에 빌었다. 우리 어머니 울지 않게 해주세요. 그리고 천지신명님 비가 오게 해주세요.

제발 비가 오게 해주세요-

돌로 쌓인 칠성단 아래에 생모가 묻혀 있는지도 모르고 어미에게 절하며 그렇게 간절하게 비가 오기를 빌었다. 그 안타까움이 근자부도 현고도 초로도 단복에게도 전해졌다. 망아는 울음이 터진 우아를 감싸 안고 있었다.

어머니 울지 마세요-

어머니. 망아의 그 얘기에 우아는 또 울음이 나온다. 아가! 아가! 아기를 살리려 빗속을 도망쳐야 했던 어미. 그 어미의 마지막 몸부림이 전율로 전해져 온다. 우아는 본능적으로 알았다. 아기 때문에 그 아기를 살리기 위해 죽어야 했으리라고. 그래서 그렇게 아기를 꺼내고 어미에게 보이자. 마치, 감사합니다. 그렇게 말하는 것 같았다. 첫 젖을 먹일 때 우아는 느꼈다. 자기 혼자가 아닌 누군가 자기와 함께 은구에게 젖을 먹이고 있었다. 그 젖. 죽은 어미가 같이 먹이고 있다고 느꼈었다. 오늘 그 느낌이 다시 전해져 온다.

그때였다. 하늘에서 뭔가 후드득 떨어졌다. 비가 내린다. 하늘도 슬픈지 죽은 어미의 눈물이 흐르는지 그렇게 비가 오기 시작했다. 석 달 만에. 견우직녀가 만나는 칠월칠석에 밤하늘에서 비가 오기 시작했다.

그제야 천기령 제4 용소에 있던 사내들도 눈물을 흘릴 수 있었다. 마음껏 울어도 됐다. 비다. 비가 옵니다. 감사합니다. 이 아이. 더 잘 키우겠습니다. 그렇게 죽은 어미와 산 사람들이 같이 눈물을 흘리고 있었다.

天 하늘의
二 다른 것은
三 삼이고
地 땅의
二 다른 것도
三 삼이며
人 사람의
二 다른 것도
三 삼이다

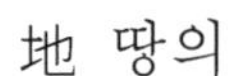

변화는 놀라웠다. 비가 왔다. 비가 오자 달라졌다. 비류왕이 동명성왕 묘에서 기우제를 지내고 밤을 새우는데 하늘이 감동하여 비가 내렸다. 백성은 그렇게 믿었다.

다행이다—

그러나 이미 백제는 달라져 있었다. 아무도 모르는 위기가 있었다. 본디 위기는 가뭄으로부터 시작했다. 가뭄은 왕의 부덕, 왕의 책임이었다. 비류왕은 위의 내해부에게 도움을 청했었다.

그러나 대해부는 사라진 자신의 딸, 선화를 찾아달라고만 했다. 그래서 비류왕 여호기는 자신이 아닌 우복을 내세웠다. 그 우복은 다시 비류왕과 왕비 하료의 또 다른 고민이 될지도 모르는 설거를 앞세웠다. 비류왕은 국가 재정의 붕괴와 무역에서 고립되고 있었기에 다급했다. 그래서 그렇게 하라고 했다.

비류왕을 우복이 지켜냈다. 우복은 위(倭)의 대가인 대해부와 큰 거래를 했다. 노예무역. 사람이 사람을 잡아먹는 세상이기에 노예로 팔 수 있는 유민들이 많았다. 대해부 상단을 통해 우복은 유민들을 각지에 팔고 식량을 얻어냈었다. 이것을 멈출 수 없었다. 수요가 있으니 공급이 더 필요했다.

유민을 잡아서 노예로 보내야 한다—

선화의 실종사건 때문에 위(倭)의 대해부는 비류왕을 믿지 못하고 경계했다. 아니 대면하고 싶지 않았는지도 모른다. 그래서 오히려 우복을 의지해 백제의 거대한 상권을 쥐려 한다. 우복은 대해부에게 설거의 지원세력이 되라고 한다. 설거에게서 새로운 왕기를 느낀 대해부는 설거를 위(倭)의 새로운 권력자로 떠오르게 하려고 했다.

현녀는 우복에게 흑천의 사령(司令)을 맡으라 했다. 실질적인 흑천의 후계자로 우복을 지명한 것이다. 우복은 흑천을 얻기로 했다. 아무도 모르게 흑천을 접수했다. 흑천의 세력은 곧 옛 단군조선 세력의 한 축이었다. 위만 조선의 세력이 면밀하게 이어져 내려왔다. 그 오랜 세월과 비법들이 있었다. 대륙과 반도, 열도에 이르기까지 그 영향이 미치지 않은 나라가 없었다. 흑천의 세력은 곧 권력이었다. 각 나라의 차기 권력을 잡고 밀무역을 장악했다. 군수 물품과 사치품들, 마약과 각종 최음제 등을 밀매했다. 도박장과 색정가를 운영했다. 때때로 흑천을 거스르는 국가에서는 내전을 일으켜 권력을 잡기도 했다. 우복은 그런 흑천의 세력에 경악했다. 모태는 저 멀리 숙신의 선우부족과 흉노 세력의 일파였던 위만조선의 왕가가 바탕이었다. 그리고 그 위만조선은 곧 단군조선의 반란군이었으며 단군 치세를 멸망케 한 반역자들이기도 했다. 그래서 광명천, 즉 치우대와는 반대의 길을 걷고 있었다.

우복은 이제 비류왕 여호기를 상대할 수 있는 거대한 세력을 아우르게 되었다. 그러나 우복은 치밀했다. 완전하여야 한다. 비류왕 여호기에 대한 두려움도 있었다.

현녀는 그런 우복의 품성을 보았다. 차가운 심장과 치우치지 않는 냉정함, 이익에 밝은 안목과 더불어 각국의 흑천 세력을 통일시킬 힘과 지략, 무예가 있었다. 우복에게 현녀는 다 줄 생각이었다. 현녀는 자신의 인성이 점차 마비되는 것을 느낀다. 하지만 애써 바꿀 이유가 없다고 생각한다. 어렸다. 그때는. 자신이 근자부와 정을 통하고, 딸을 가지고, 딸이 볼모로 잡히자 흑천을 찾아와야 했다. 생사의 고비를 넘어 흑천의 수장이 되기까지. 인성(人性)은 메말라 갔지만 그래도 그런 삶에 현녀는 안타까워하지 않았다. 천하의 보물들이 흑천에 모였다. 흑천은 힘이 있었다. 처음에는 흑천의 비밀을 캐고자 했다. 고이왕의 명에 따라 흑천에서 살아남아 흑천의 주인이 되었지만, 고이왕이 찾고 있던 절대무왕의 비밀이 흑천에는 없었다. 현녀는 허탈했다. 자신의 세월이, 고이왕이 책계왕이 원망스러웠다. 그래서 고이왕도 책계왕도 낙랑태수 장통에게 수를 내게 하여 죽게 만들었다. 현녀의 조언은 장통을 움직여 왔다. 이는 그 누구도 모르는 비밀이었다. 결국, 고이왕과 책계왕에게 복수의 칼을 꽂은 것은 현녀였다. 고이왕은 근자부에게 어주(御酒)에 최음제를 섞어 먹여 자신과 통정하게 했다. 그리고 딸이 태어나자 근자부에게 왕명을 내렸다. 딸이 젖을 떼자 다시 자신에게 흑천을 찾아 비밀을 알아오라고 또 어명을 내렸다. 그 비극을 만든 사람. 현녀는 왕명보다 복수를 택했다. 복수를 마치자 생각했다. 딸을 한번 보고 싶었다. 생각해보면 다 부질없었다. 현녀는 곧 자신이 물러나야 할 때가 가까워져 온 것을 안다. 은퇴하기 전에 알맞은 후계자를 세워야 했다.

그 후계자, 우복이었다.

"흑천은 힘입니다."
"알고 있습니다."
"그 힘은 천하를 아우릅니다. 언젠가 흑천의 세상이 올 것입니다."
"…?"
"흑천에 이십 년 전 반역자들이 있었습니다. 우리가 보관하고 있던 비기 하나를 훔쳐 달아났습니다. 아마도 광명천으로 갔겠지요."

광명천(光明天). 몇 번 우복이 아비 우상에게서 들은 바가 있었다. 밝음을 상징하는 그 광명천. 정의를 부르짖던 그 광명천에서 흑천의 비기를 훔쳐갔다? 지금 현녀가 하는 말이 그것이었다.

"흑천은 가우리의 주몽 태왕을 일으켰습니다. 우리 흑천은 소서노 모태후에게 옛 단군조선의 3대 비기(秘記) 중의 핵심 하나를 전수해 검을 만들게 했습니다. 그것은 동명성왕검으로 일컬어지는 검입니다. 그 검에 비기가 숨어 있습니다. 그러던 어느 날, 모태후가 변했습니다. 광명천도 소서노 모태후에게 접근해 있었다는 것을 우리가 알았습니다. 광명천으로 흑천의 비기가 흘러들어 갈 것을 염려한 당시 흑천의 주인은 모태후로부터 동명성왕검과 비기를 빼앗으려 했으나 모태후는 비류천왕을 통해 흑천 세력의 본거지를 치고, 흑천에게 세력을 유지하는 조건으로 동명성왕검과 그 속의 비기를 빼앗았다고 합니다."

아, 그런 비사(秘事)가 있었구나. 소서노 모태후는 참으로 대단하다. 흑천을 상대로 전쟁을 치른 것이다. 그 비기(秘記). 무엇일까? 그런 생각을 하고 있던 우복에게 현녀는 흑천의 비밀을 계속 말해주었다.

"그 비기(秘記)를 찾기 위해 지금까지 흑천은 애를 썼습니다. 그리고 드디어 비기를 찾았습니다. 온조계와 비류계의 암투와 왕위 찬탈은 그 비기 때문에 일어난 것도 있습니다. 그 거래로 왕을 얻은 분이 계셨기에 쉬웠습니다."

백제왕이 되기 위해 그 비기(秘記)를 흑천에 다시 넘겨준 왕이 있었구나. 우복은 새로운 이야기에 빠져들고 있었다. 흑천은 새로운 왕을 만들고 비기를 회수했다. 왕위 찬탈과 깊은 관계가 있을 듯 했다.

“그런데 제가 흑천으로 들어갈 즈음 흑천에 숨어들어왔던 광명천의 첩자와 내부 반란자들이 다시 훔쳐갔습니다. 그 비기를. 그리고 사라져 버렸습니다.”

그럼 동명성왕검은? 어찌 된 것인가? 동명성왕검만으로 그 비기를 풀 수는 없는가.

“동명성왕검은 어찌 되었습니까?”
“백제 왕실을 다 뒤져 보았으나 아직도 검은 찾지 못하고 있습니다.”
“소서노 모태후 이후 비류천왕에서 초고왕 때까지는 왕실에 있었다고 했습니다.”
“초고왕 때 분실했군요.”
“그러나 내 생각에는 아마 소서노 모태후께서 직접 숨겼을 것입니다.”
“그럼, 처음부터 왕실에는 없었다는 것입니까?”
“그랬을 것입니다. 숨겨서 비기 내용을 풀려고 했을 것입니다. 그렇게 생각됩니다.”

"지금은…"

"그 일. 아마도 광명천에 연이 닿아있는 자에게 소서노 모태후는 시켰을 겁니다. 흑천이 아니면 광명천만이 그 내용을 풀 수 있을 테니까요. 광명천 수뇌부들이 아는지 모르는지 모르겠지만. 지금은 다만 열도 어디로 흘러들어 갔을 것이라 짐작만 합니다. 흑천에서 저를 후계자로 삼은 것이 바로 그 이유지요. 감각. 예지력. 언젠가는 제게 그 느낌이 오리라고 했습니다."

그랬다. 흑천의 수뇌부는 현녀의 예지력을 믿었다. 누구보다도 강했다. 그 절대무왕의 전설이 강해지면 그 느낌이, 그 비기와 검이 어디에 있는지, 신통력을 통해 볼 수 있을 것이다. 반드시 그 비기, 대륙을 지배할 절대무왕의 비밀을 풀어라. 광명천보다 빨라야 한다.

"제 사부님은 그렇게 말씀하셨지요. 그래서 고이왕으로부터 나를 얻어서 후계자로 삼고, 백제왕실과 몰래 거래를 하게 했으니까요."

"아, 광명천 거기에는 백제 무예의 전설이라는 근자부가 갔겠군요."

딱- 알아맞혔다. 그렇다. 현녀는 알고 있었다. 자신보다 먼저 고이왕의 명령을 받아야 했던 백제 무사의 전설, 근자부는 광명천으로 향했다. 그러나 근자부는 광명천으로 간 뒤 연락이 끊겼다. 광명천에서 차기 수장이 되고서도 근자부는 그 검을 찾지 못했다. 그리고 여호기를 데리고 오기 전까지 대륙을 방황했다. 광명천을 나온 근자부가 비기를 찾지 못하자 그 때문에 고이왕은 거래하고 있던 흑천의 수장을 불렀다. 흑천이 거짓을 고한 것이 아니냐. 광명천에도 동명성왕검이 없지 않으냐? 근자부가 광명천 차기 수장이 되었음에도 찾지 못하고 있다. 고이왕이 흑천을 의심하자 흑천은 내심 탐내고 있던 현녀를 보내 흑천의 진실을 알아보시라고 했다. 다만 현녀를 흑천으로 보내면 흑천의 비밀을 알게 되니 이제부터 현녀는 흑천의 사람이 될 것이라 했다. 고이왕은 상관없다고 했다. 고이왕은 현녀의 모성을 이용할 수 있었다. 이제 막 젖을 뗀 딸이 볼모로 잡혀 있었다. 진실을 가져와라. 흑천의 사람이 되어서 그 진실을 알아내라. 현녀를 흑천으로 보냈다. 흑천이 거짓을 할 수도 있다고 본 것이다. 고이왕은 아무도 믿지 않았다. 그러나 현녀가 흑천에서 알아낸 것은 광명천에서 근자부의 내용과 같았다. 없었다. 고이왕이 원하는 소서노 모태후의 비밀, 동명성왕검과 그 비기(秘記)는 찾을 수 없었다. 동명성왕검은 애초 없었고 비기는 다시 잃어버렸다. 흑천 역시 온 세상을 다 뒤지고 있었다.

“그 비기(秘記). 왜 못 푼 것입니까? 혹시… 검하고 같이 있어야 합니까?”

“그것이 어려운 일이었습니다. 따로 있으면 풀 수 없는 비밀…”

비기(秘記)에는 옛 단군조선의 가림토 문자로 적혀 있어 그 뜻풀이가 쉽지 않았다. 비기와 더불어 해석의 필요성이 있는데 그 해석은 동명성왕검의 신(身)에 있다고 했다. 즉 동명성왕검과 그 비기를 같이 놓고 풀어야 알 수 있었다. 그래서 광명천 관계자도 흑천의 내부 반란자들로부터 비기를 얻어내려고 한 것이다.

그 비기를 풀어야 한다–

우복은 딱 알맞은 흑천의 차기 주인 감이었다. 모용씨족과의 담판을 보고 또 대륙 북부는 물론 한성백제를 다루고 열도의 여러 국가를 휘감을 수 있는 사람. 흑천의 주인으로 우복만 한 자가 없었다. 그 우복을 내세워 흑천의 미래를 더욱 튼실하게 하리라. 현녀는 안다. 절대무왕의 전설이 이루어지면 흑천은 어쩌면 소멸할지도 모른다. 절대자는 그런 의미가 있다. 대륙과 반도가 통일되고 안정적인 국가가 성립되면 흑천의 역할은 사라진다. 혼돈의 세계. 혼돈을 먹고 사는 권력의 세력이 바로 흑천이다. 비기(秘記)를 풀 사명을 우복이 받았다.

바로 그 사람—

흑천의 반란자. 현고는 옛 단군조선의 비기를 찾던 흑천에게 쫓기는 반란자 중의 하나다. 흑천의 반란자는 바로 흑천의 차기 후계자였던 현고의 형이었다. 현고의 형, 현강은 놀랐다. 사부가 여인 하나를 데려와서 차기 흑천의 후계자로 삼았다. 흑천의 최고 무예가였던 현강이 반발했다. 현고는 현강을 달랬다. 그러나 현강의 배신감은 뜻밖에 컸다. 현강은 사부가 여인 현녀를 후계자로 삼은 것에 분노했다. 현고는 오래전부터 흑천에 대해 부정적인 생각을 하고 있었다. 현강은 그래서 흑천의 서고를 관리하던 아우 현고에게 말했다. 흑천을 떠나자.

어디로—

광명천으로 가자. 가능한가? 있다. 사람이. 현강은 그때 광명천의 한 사람을 보고 있었다. 광명천 수장이었던 근자부의 스승이었다. 흑천에 비기가 있을 것을 확신하고 흑천을 조사하고 있었다. 다만 외부에서 맴돌 뿐 내부로 들어오지 못하고 있었다.

흑천의 주변을 맴돌던 광명천 사람. 흑천의 후계자인 현강은 그것을 알고 있었다. 그래서 근자부의 스승과 선을 대고자 했다. 현강에게 현고가 필요했다. 그 비기들이 필요했다. 그래서 현고를 설득한 것이다. 후계자에서 이유 없이 탈락한 현강은 흑천 서고(書庫)를 담당하고 있던 동생 현고와 함께 비기(秘記)를 사부 몰래 훔쳐 도망쳤다. 발각은 시간문제였다. 현강의 사부는 서고 관리를 맡은 현고가 자신의 방, 은밀한 곳에서 비기(秘記)를 훔쳐간 사실을 알았다. 순식간에 대추격전이 이루어졌다.

한 달여간-

추격전 끝에 현강은 흑천의 추격대에게 죽었다. 흑천의 사부는 용서가 없었다. 추살 명령이 내려졌다. 지금까지도 흑천은 현고를 찾고 있다. 비기(秘記)도.

또 하나 문제가 생겼다. 아무리 비기(秘記)를 가져왔어도 현고를 망자의 섬으로 데려갈 수가 없었다. 광명천 존폐의 문제가 달린 중대사였다. 할 수 없이 근자부의 스승은 함구령을 내리고 옛 단군조선의 선인들로 현고를 보살피게 하고 망자의 섬으로 향했다. 그런데 근자부가 현고를 지키던 중에 망자의 섬으로 들어간 스승이 사라졌다. 근자부에게는 오직 현고를 잘 돌보라는 말만 있을 뿐. 동명성왕검의 흔적처럼 비기(秘記)를 가져간 스승도 사라져버렸다. 광명천의 그 누구도 스승이 어디로 언제 어떻게 사라졌는지를 알지 못했다. 은퇴자의 산으로 갔다는 말도 있었다. 그렇게 미궁(迷宮)으로 다시 빠져버린 소서노 모태후의 전설.

근자부는 이제 뭔가 알 것 같았다.

조심해라-

현고에게 있어서의 최대 비밀은 바로 옛 조선의 비기. 바로 절대무왕의 신물이라는 동명성왕검. 그리고 백제 최초의 모태후 소서노의 약속이 적혀 있다는 그 비기(秘記)다. 현고는 바로 근자부로부터 광명천의 숨은 이야기를 마저 들었다. 광명천. 망자의 섬에 분명히 있다. 근자부는 이제 망자의 섬에서 은퇴한 선인들이 산다는 은퇴자의 산으로 가려고 했다. 다시 나오지 않을 것이다. 거기서 이 비밀을 풀기 전에는 안 나온다. 다 뒤질 것이다. 광명천에서 그 비기들이 있을 유일한 곳은 바로 거기다.

"은구가 크면 이 얘기를 해주어라."

광명천에 대해서는 초로와 단복이 더 많이 알고 있다. 은구가 크면 그 비밀을 풀기 위해 망자의 섬으로 데려와라. 내가 연락을 하겠다. 그리 근자부는 말했다.

"후계자로 안 데려간다. 인연이 있으니 다시 만날 것이다. 꼭 다시 만난다."

그렇게 근자부는 확신했다. 은구를 다시 만난다. 만나게 될 것이라 느꼈다. 여호기와도 그 느낌이 있었다. 굵은 동아줄로 서로 엮인 느낌. 인연의 끈은 질기다. 그 질긴 인연이 은구와 함께 있었다.

근자부는 은구를 후계자로 데려가지 않았다. 근자부는 은구와 은구의 생모가 여호기와 관계가 있으리라고 짐작했다. 그래서 데려가지 않고 여호기에게 보내기로 했다. 대천관 신녀와 비류왕이 동명성왕 묘에 기우제를 지내러 간 사이였다. 신궁 호위에 서찰을 전해달라고 했다. 현고의 고하 소도에서 사람을 찾으라 했다. 그리고 목걸이를 찾으라 했다. 그렇게만 적어 놓았다. 인연이라면 만나리라. 반드시. 그렇게 생각하고 근자부는 망자의 섬으로 향했다. 잠시 함께 있는 동안 은구를 겪어 보고 근자부는 알았다. 세상에서 배워야 한다. 여호기처럼.

"다들 바보 같잖아요. 여기 지천으로 널린 황금이 있는데… 가뭄이라고 괜히 죽고 죽이고 노예로 잡아가고. 미친놈들…"

"어디 황금이 있단 말이냐?"

"저기… 안 보이세요? 하얀 황금…"

근자부 앞에서 욕지거리할 수 있는 아이. 그 아이를 보며 근자부는 뒤통수를 세게 맞은 것 같았다. 하얀 황금. 거기 염전이 있었다. 가뭄이 든다는 것. 비가 안 온다는 것에서 아이는 소금을 보고 있었다. 옛날부터 소금은 국가가 관리했다. 그 소금은 가뭄이 들면 질이 더 좋아지고 더 많이 생산할 수 있다. 그 얘기다. 강한 햇볕에 소금생산을 늘리고 이를 팔면 곡물을 더 얻을 수 있다. 가물면 가문대로… 홍수가 나면 홍수가 나는 대로… 다른 생각을 해야 한다. 가뭄에 소금을 황금이라고 생각하는 아이. 하얀 황금을 더 많이 생산해서 곡물을 얻을 생각을 하는 아이. 다르다. 그리고 근자부는 보았다.

불편한 아이들-

그 아이들에게 은구는 형제였다. 불편함을 불편하지 않게 하는 재수. 단목은 그런 은구에게 갖가지 기술을 가르쳤다. 그 기술이 장애 아이들에게 힘이 되고 있었다. 단복이 가르쳐준 목공 기술은 은구에 의해 더 편리하게 응용되고 발전되었다. 짐을 나르는 수레의 가운데를 막으면 다리가 불편한 두 사람이 앉을 수 있었다. 두 다리가 잘린 사람의 굴러가는 의자가 만들어지고 손과 발이 없는 사람들의 나무 손과 발이 만들어졌다. 은구는 다른 재주가 아닌 평범한 기술을 따뜻하게 만드는 마음이 착한 소년이었다. 그 모습을 보면서 근자부는 장차 세상을 위해 이 아이는 망자의 섬이 아닌 사람들 사이에 있어야 한다고 생각했다.

지금은 때가 아니다-

그렇게 생각을 하자 자신도 자신이 해야 할 사명이 있음을 깨달았다. 고이왕을 위해서도 아니다. 책계왕을 위해서도 아니다. 이제 자신이 하늘을 위해서 하늘의 뜻에 따라 저 아이가 꿈꾸는 세상을 만들어 주기 위해 해야 할 일이 있었다. 그런 마음이 들자 급해졌다. 망자의 섬으로 가서 소서노 모태후의 비밀을 알아내야 했다. 동명성왕검을 찾아야 했다. 그래서 근자부는 서둘러 망자의 섬을 향해 길을 나선 것이다.

그 길에서 보았다-

현녀는 이제 열도로 가기로 했다. 현녀는 상단을 꾸려 열도 위(倭) 야마다 비미호를 만나보아야겠다고 생각했다. 후계자를 우복으로 정했으니 뒷걱정도 한술 접었다. 자신의 느낌대로 열도로 가서 소서노의 전설을 깨워볼 참이었다. 흑천 서위만을 데리고 열도를 향해 나서는 길, 한성백제 열수(洌水)에서 열도로 가는 포구(浦口)로 가다가 수두객점 앞에서 현녀는 한 사람을 보았다. 그 사람. 분명히 낯이 익었다. 아니 낯보다도 느낌이 너무 강했다. 저 멀리. 그 사람. 낯설면서도 친근한 느낌. 그런데 몸이 먼저 알았다. 현녀는 강한 느낌을 통해 그가 누구인지 알게 된다.

근자부다-

강산이 세 번을 넘게 바뀌고도 수년의 세월을 넘었다. 그 시간. 그런데 현녀는 단번에 알았다. 그 근자부가 지나간다. 지나친다. 그 일. 평생 한 번은 꿈꿔왔던 그 일이 지금 일어난 것이다. 아무 관계 없는 사람처럼 이쪽 사람들 틈의 자신과 저쪽 사람들 틈에 섞인 그. 근자부와 그렇게 엇갈린 운명처럼 또 두 사람은 서로 갈려서 길을 가고 있었다.

근자부는 현녀를 알아보지 못했다. 근자부는 급했다. 급히 가고 있었다. 현녀는 그런 근자부를 끝없이 쳐다본다. 그 사람이 간다. 평생 단 한 명. 마음속 깊이 품어본 사람. 그 사람의 아이가 단 하나의 핏줄이 볼모로 잡혀서 그 사람도 자신도 모진 인생을 살아와야 했다. 그 사람. 백제 무예의 전설이 머리도 수염도 다 허연 선인(仙人)이 되어 지나가고 있었다. 광명천의 수장. 흑천의 주인으로 그렇게 엇갈려 있었다.

수두객점을 나선 근자부가 망자의 섬으로 길을 떠난 것이다. 현녀가 멀리서 그 근자부를 보고 있을 때, 현고는 근자부를 떠나보내고 수두객점에서 약재를 얻어 나오고 있었다. 현녀가 근자부를 느끼고 잠시 멍해져 있는 사이, 흑천 서위의 눈빛이 빛났다.

보았다-

그놈. 그놈이 있었다. 현녀가 바라다보고 있던 거기. 그 너머에 흑천 서위가 그렇게 찾고 있던 그놈이 거기 있었던 것이다. 현녀를 모시는 것도 중요했지만, 더 중요한 일이었다. 수두객점에서 나오는 현고를 흑천 서위가 재빠르게 미행하기 시작했다.

天 하늘의
二 다른 것은
三 삼이고
地 땅의
二 다른 것도
三 삼이며
人 사람의
二 다른 것도
三 삼이다

二 다른 것도

아니다. 뭔가 이상했다. 우복은 비류왕 여호기를 보면서 달라졌다고 생각했다. 서두르고 있었다. 대천관 신녀가 신(神) 몸살을 앓고 있었다. 그런데도 신궁으로 향해 간다고 했다. 지난번 매년 꿈쩍도 않던 칠월칠석 동명성왕 묘에 다녀올 때도 그랬다. 칠월칠석은 비류왕 여호기에게는 다른 어떤 때보다도 슬픈 사연이 있는 날이었다. 그날은 여호기가 대해부가 상단 행수였던 죽은 선화의 기일(忌日)로 삼고 다른 일을 일절 안 했었다. 그런데 그날은 기우제를 지냈다.

기우제(祈雨祭)는 대성공이었다. 역시 비류왕이다. 오랜 가뭄 끝에 단비가 백성의 입에서 칭송으로 이어졌다. 탁월한 택일이었고 어쩌면 그렇게 천제를 지내는 동안 하늘이 감동해 바로 비가 왔는지 모를 일이었다. 아무리 백제 대천관 신녀지만 정말 대단했다. 그런데 또 비류왕 여호기가 들떠 있었다.

국사(國師)를 제대로 모셔야겠다-

우복에게 명했다. 국사(國師)를 모실 준비를 하라고. 그러더니 또 그냥 아무 말이 없었다. 이제는 아프다는 대천관 신녀를 만나려고 한다. 신궁(神宮)에 들러 백성을 살피고자 하니 어디로 갔으면 좋겠냐고 묻겠다고 했다.

비류왕이 달라졌다-

그런 생각으로 우복은 퇴청(退廳)했다. 그때 흑천 서위로부터 연락이 왔다. 흑천의 반란자를 발견했다는 것이다. 흑우가의 무사들을 동원해야 했다. 누구도 알아서는 안 된다.

현고는 자꾸 뒤를 돌아보게 되었다. 근자부를 보내고 나서인지 조금은 허전했다. 그런데 뭔가 뒤가 댕겼다. 그래서 자꾸 뒤를 돌아다보았어도 쫓는 이가 없었다. 흑천 서위는 무예 최고수였다. 그런 자가 뒤를 쫓으니 현고는 알 수가 없었다. 현고가 고하 소도에 도착했다.

많다—

유민들이 많았다. 한성백제에서 천기령으로 가는 길. 그 한적한 산 중턱에 있는 고하 소도는 외진 곳에 있었다. 다른 유민들이 사는 큰 마을과 달리 뚝 떨어져 아주 독립된 생활을 하고 있었다. 흑천 서위는 보았다. 유심히 살폈다. 초로와 단복 등도 보였다. 선인들이 분명했다. 그리고 경당도 있었다. 아이들. 후계자들도 키우고 있었다. 가뭄에도 별로 굶주린 것 같지는 않았다. 장애아들도 많이 보였다. 그런데도 굶지 않는다? 그러면 틀림없다. 옛 단군조선의 선인들이 이끌고 있는 유민들이다. 보통 사람들이 아닌 고수들이 이끌고 있다. 흑천 서위에게 진한 감이 왔다. 적어도 장정 오륙십 명에 아이들 백, 여인들도 칠팔십 명은 넘어 보였다.

잘됐다—

흑천 서위는 현고를 분명히 기억했다. 흑천 서고의 책임자.

현고의 형인 현강은 흑천 서위의 표상이었다. 흑천의 후계자 중에서는 최고의 실력을 보인 현강이었다. 당연하게 흑천 주인으로 지목될 줄 알고 있었는데 어느 날 흑천의 스승께서 현녀를 데려왔다. 차기 후계자 지목. 놀랐다. 현강이 아니었다. 현녀가 후계자였다. 그때 알았다. 현강이 실망하는 것을. 그리고 현강 형제가 비기를 훔쳐 도망쳤다고 했다. 서위는 흑천의 힘을 그때 보았다. 그 엄청난 흑천의 무사들. 최절정 고수들이 각지에서 몰려 왔다. 아무리 현강이 흑천 최고의 후예 기수였어도 당해낼 수가 없었다. 광명천 고수의 눈부신 무예가 없었더라면 현고 또한 놓치지 않았을 것이다. 이십 년 전, 쫓고 쫓는 추격전이 수 개월 동안 이어졌다. 그런데 십수 년 전부터 현고는 종적이 없어져 버렸다. 광명천으로 간 것으로 생각했다.

그런데 이제 찾았다-

놓쳐선 안 된다. 흑천 최대의 사활이 걸린 문제다. 반란자. 비기를 가져간 그놈을 찾았다. 잡아야 한다. 반드시 잡아서 데리고 와라. 현녀의 명이 내려졌다. 현녀는 열도로 향하면서 흑천 서위와 우복에게 그 일을 맡겼다. 우복은 즉시 흑우가 호위무사들을 위장시켜 흑천의 무사들과 함께 하게 했다.

비기(秘記)를 숨기고 있을지도 모른다. 철저하게 찾아야 한다. 광명천 놈들이 숨어 있을 수도 있다. 우두머리는 죽이고 나머지는 노예로 팔아라! 명이 떨어졌다.

반드시 잡겠다-

흑천 서위는 고하 소도를 포위했다. 밤 그늘이 짙어지기만 기다렸다. 한밤중- 그랬다. 그렇게 검은 그림자들이 고하 소도를 소리 없이 쳐들어왔다. 흑천 서위는 먼저 현고의 위치를 몰래 파악했다.

멍! 멍!

개들이 짓는다. 그 개들. 소도의 또 다른 식구들이다. 외부 침입을 경계하는. 닭들이 부산하다. 오리도 꽥꽥거린다. 침입자다. 현고는 낌새가 이상했다. 현고는 뭔가 고하 소도를 덮치고 있다는 것을 먼저 눈치챘다. 서둘러야 했다. 우아에게로 갔다. 언제든지 도망칠 수 있도록 준비해둔 보따리를 들고 나서게 했다. 망아더러 초로와 단복에게 어서 비상령을 내리고 다들 도망치라고 했다. 은구더러는 어미를 잘 챙기라 일렀다.

"먼저 피해라. 곧 간다. 천기령 4 용소다."

그렇게 다음 장소를 말하고 헤어졌다. 은구는 어미를 데리고 도망쳤다. 그 순간 검은 그림자들이 칼을 휘두르면서 들이닥쳤다. 다들 피해야 했다. 현고는 자신이 맞서야 한다고 생각했다. 자신이라고 믿었다. 자신을 노린다. 흑천이다. 틀림없다. 그래서 시간을 벌어야 했다.

흑천 서위는 현고를 잡았다. 현고는 마지막으로 우아와 은구가 떠난 곳을 쳐다보고는 흑천 서위를 맞이했다. 그래서 초절정 고수 흑천 서위는 볼 수 있었다. 현고와 도망친 여인과 소년. 그리고 보따리였다. 저거다.

쫓아라-

현고의 명으로 유민들을 먼저 도망치게 하려던 망아는 유민들과 함께 검은 복면 무사들에게 사로잡히게 되었다. 초로도 단복도 큰 부상을 당했다. 수적으로도 실력으로도 도저히 상대되지 않았다. 다 잡혔다.

현고가 무사의 칼을 빼앗고 목숨을 걸고 길을 막았다. 그랬다. 그래서 흑천 서위는 현고에게는 비기(秘記)가 없고 여인과 소년이 가지고 도망쳤다고 생각했다. 흑천 서위의 목으로 현고의 칼이 곧게 쳐들어왔다. 그 순간. 흑천 서위 옆에 있던 무사가 칼을 휘둘렀다. 현고는 순간 절명한 듯 했다. 아차, 싶었다. 흑천 서위가 눈짓했다. 곧 무사 둘이 현고의 상태를 살폈다. 고개를 흔든다.

…!

제길. 그렇게 흑천 서위는 단 하나 단서가 될 보따리. 그 여인과 소년을 쫓아야 했다. 밤길을 도망치기란 쉽지 않다. 특히, 여인의 몸은 더 그랬다. 천기령으로 향하는 우아와 은구는 계속 걸음을 재촉했다.

어머니! 어서-

우아는 지쳤다. 더는 달릴 수가 없었다. 우아도 은구도 느낌이 있었다. 쫓긴다. 유민을 잡아들여 노예로 팔려고 하려는 무사들이라고 생각했다. 살아야 한다. 그렇게 필사적으로 뛰었다.

자, 서둘러라-

비기(秘記)가 현고에게 없음을 안 흑천 서위는 비단보를 든 채 도망친 우아와 은구를 추격하기 시작했다. 쫓고 또 쫓는다.

잡았다-

우아를 흑천 서위가 붙잡았다. 소년 은구가 덤빈다. 흑천 서위는 그런 은구를 냅다 발로 걷어차 버린다. 죽을듯한 고통이 밀려왔다. 흑천 서위가 은구에게 칼을 내려치려 했다.

그 순간 은구는 보았다-

자신에게 날아오는 칼날을. 또 우아의 얼굴을. 우아가 몸으로 흑천 서위의 칼을 막았다. 은구의 눈에 칼로 내리치는 흑천 서위의 잔인한 얼굴과 칼에 맞는, 핏발 선 눈으로 자신을 감싸는 우아의 애틋한 얼굴이 가득 들어와 박혔다. 그리고 캄캄해졌다. 어머니. 어머니. 외치고 또 외친 그 울림이 산과 밤하늘에 떠돈다. 은구는 기절해버렸다.

우복은 한심했다. 잡아온 유민들은 노예로 팔아버리면 되겠지만 정작 원하는 것은 노예가 아니었다. 보따리에는 피가 묻어 엉겨 붙은 비단옷 하나와 목간 두 개가 있었다. 뭐라고 쓰인 것 같은데 피가 엉겨 붙어 글자는 알아볼 수 없었다. 댓 글자 적힌 비단옷. 귀한 복장이 접혀 있었다. 백제 것은 아니다. 어디서 본 것 같은데… 피가 너무 많이 묻어 있었다. 비기가 아니다! 그런 생각으로 목간을 기대하며 보았다. 그런데 약재를 구분하는 법이 적힌 책(冊)과 역서(易書). 아무리 보아도 비기(秘記)라 할 수 없었다. 옛 단군조선의 선인(仙人)이라면 누구나 갖고 있을 법한 내용이다. 실망이 컸다. 흑천의 비기(秘記)를 훔친 역적은 잡아 죽였는데… 비기에 관련된 별다른 성과가 없었다.

죽었다-

어미가 죽었다. 은구는 자기를 대신해 죽은 어미 우아의 얼굴을 생각하고 또 우웩- 각혈을 한다. 옆구리를 제대로 맞았다. 은구는 오래전부터 초로가 가르쳐준 옛 단군조선의 심법을 배워 익히 알고 있었다. 소소한 무예도 익혀 웬만한 시정잡배들에게는 안 당할 정도는 됐다. 그런데 그 사람은 달랐다. 단 한방에 옆구리 내장이 다 터져버린 것 같았다. 그렇게 강한 힘은 처음이었다. 아무리 싸워도 이 정도로 당하진 않았다. 은구는 그 사람. 흑천 서위를 똑똑히 기억했다.

은구의 기억력은 놀랍다. 한 번 본 것은 잊지 않는다. 마치 머릿속에 그림이라도 그려 놓은 듯 그렇게 뚜렷하게 기억한다. 스쳐 지나간 것도 잊지 않는다. 그런 은구에게 어미 우아를 죽인 흑천 서위의 잔인한 눈빛이 강하게 박혔다.

여기가 어딘가–

도무지 알 수 없는 곳. 칠흑 같은 어둠만이 있는 곳. 배 밑창 같기도 하다. 어쩌면 노예선이 아닐까. 생각을 해보았다.

“노예잡이 무사들에게 걸린 것인가?”

아니다. 그건 아닌 것 같았다. 그자는 분명히 무언가를 노리고 있었다. 뭔가 찾으려 하고 있었다. 그런데 나머지는 유민들을 잡아 노예로 팔아서 넘기는 놈들이다. 그들이 습격한 것이다. 서로 다른 목적. 은구는 반드시 내막이 있다고 여겼다.

허망하다–

비류왕 여호기는 대천관 신녀를 만나 스승 근자부가 남긴 편지를 읽었다. 한성백제 고마성에서 천기령으로 가는 길에 외진 곳에 있다고 했다. 고하(古下) 소도(蘇塗). 거기. 반드시 가서 보라고 했다. 어쩌면 인연이 있을 것이니. 잘 살펴보라고 했다. 밑도 끝도 없이. 그래서 평복을 하고 고하 소도를 찾아왔다. 사람들이 하나도 없었다. 싹 사라졌다. 이상한 일이다. 여기 있다고 했다. 그래서 왔는데…

우복은 더 놀랐다. 비류왕이 평복하고 내금위 몇 명과 자신을 데리고 온 곳이 바로 흑천의 반도가 있다고 했던 그 장소였다. 역시 비류왕의 변화에 다른 무엇이 있다고 생각했다. 대천관 신녀와 비류왕 둘만의 다른 비밀이 있었다. 그러지 않고서 이렇게 흑천의 반도가 있는 곳을 정확하게 비류왕이 알고 찾아올 수가 없었다.

증발했다-

비류왕은 고하 소도 사람들이 사라진 것에 안타까워했다. 귀중한 무엇이라도 잃어버린 듯 이곳저곳을 더 찾으려 했다.

없습니다-

뭔가 이상하다. 하지만 정말 없었다. 단서조차도 없었다. 비류왕 여호기는 크게 실망한다. 스승은 떠났다. 그 스승이 남긴 인연이 여기 있다고 했는데 다 사라졌다. 어제 한낮까지도 이곳 사람들이 다녔다고 했다. 그런데 사라졌다. 낌새가 이상해서 비류왕 여호기는 은밀히 우복에게 명령을 내렸다.

반드시 찾아라–

무슨 일이 있었는지. 어디로 갔는지. 반드시 찾아서 은밀히 보고하라! 엄명이 내려졌다. 우복은 비류왕 여호기의 명을 받고 이 일을 어떻게 처리할까? 고민을 시작한다. 사람을 붙이기로 했다. 흑천 서위에게 노예로 팔 그 고하 소도 사람들을 살피게 했다. 우복과 흑천 서위는 일부러 고하 소도의 사람들을 죽이지 않았었다. 노예로 팔면 돈이다. 더욱이 다른 비밀의 단서를 찾기 위해서라도 죽이는 것은 손해였다. 그래서 일시에 다수 무사를 풀어 제압한 것이다. 그래야 살려서 감시하는 것이 가능했다. 살펴라. 우복은 흑천 서위에게 명했다. 이들을 살펴 비류왕 여호기가 찾는 것이 무엇인지 알아내라. 그리고 비기(秘記)를 숨긴 단서 또한 찾아라.

역시 노예선이었다–

은구는 정신을 차리자 희미하게 사람들이 보였다. 노예들. 그렇게 노예들이 잡혀 있는 곳에 자신도 잡혀 있었다. 노예선. 어디로 끌려가는 것일까? 그런 생각도 잠시, 다시 기절했다.

"여보게… 얘야…"

은구는 분을 참지 못해 자꾸 기절하곤 했다. 옆구리 상처도 심하게 덧났다. 흑천 서위를 떠올리고 분노가 폭발해서 또 쓰러지고를 반복했다. 노예선 밑창은 그래도 사람들이 있었다. 은구를 고칠 수는 없었지만 알릴 수는 있었다. 송장을 곁에 둘 수는 없었다.

"여보시오. 이 아이 죽겠소. 송장이나 치워주쇼."

이 아이 죽겠소. 송장 되기 전에 치워주시오. 그렇게 은구와 함께 붙잡혀 있던 사람들이 얘기했다. 노예선 맨 밑창 문이 열리고 험상궂은 무사들이 기절한 은구를 데리고 나갔다. 갑판에서 햇볕이라도 쬐주어야겠다고 생각했다. 그러다 정말 죽으면 손해였다. 밖으로 나오자 눈이 부셨다. 은구는 햇빛에 눈이 부시자 조금 정신이 들었다. 그리고 다시 잠이 들었다.

"은구야"

이 소리. 형 목소리다. 망아 형. 형이 죽어서 찾아왔나 보다. 그렇게 생각했다. 형–. 볼에 찰싹 뭔가 충격들이 온다. 은구는 눈을 겨우 떴다. 거기에 형, 망아가 있었다. 갑판에는 햇볕을 쬐기 위해 배 밑창의 노예들이 순서대로 올라와 있었다. 노예선에는 이백 명이 넘는 노예들이 있었다.

살아 있었구나–

혀엉. 그리고 울었다. 그리고 또 엉엉. 또 울었다. 살아 있었다. 형 망아도 단복도 초로도 그리고 고하 소도 식구들이 다 살아 있었다. 비록 노예선 안이었지만 형제들이 살아 있었다. 은구는 그 기쁨을 맛본다. 죽은 줄 알았던 사람들이 다 살아 있었다. 언제 만날지 모를 기약 없는 헤어짐이었지만 이리도 빨리 만날 수 있다니…

혀엉, 어머니는–

죽었다. 그렇게 말 못했다. 어미 우아는 죽었다고 말하지 못했다. 그러나 망아는 알고 있었다. 초로도 단복도 혹시나 하는 희망을 품고는 있지만 살기 쉽지 않을 터였다. 노예 무사들은 반드시 유민의 수장은 죽였다. 구심점을 없애야 노예로 쉽게 바꿀 수 있었다. 그래서 현고도 우아도 그 생명을 유지하기가 쉽지 않았을 것이었다. 망아는 은구가 하다가 만 말이 무엇인지 알았다. 어머니가 죽었다.

"돌아가셨느냐?"

그 말에 은구는 왁-하고 피를 쏟았다. 엉엉 그렇게 울다가 또 어미 생각에 분노가 치밀어 올라 기절해 버린 것이다. 초로가 얼른 은구를 살폈다. 다른 곳보다 옆구리 복막이 크게 손상되었다. 숨도 제대로 쉴 수 없는 상태였다. 복수에 물이 찬 것 같았다. 물을 빼야 했다.

노예선 호위 무사들이 그런 은구 일행을 보고 흑천 서위에게 보고했다. 멀리서 흑천 서위가 지켜보고 있었다.

지킨다-

망아는 그런 마음으로 노예선에 잡힌 고하 소도 식구들을 지키고자 했다. 아버지와 어미를 잃었으나 아직 돌봐야 할 식구는 이 많다. 게다가 은구는 병까지 깊이 들었다. 그런 식구를 망아는 반드시 지킨다고 굳은 결심을 하고 사람들을 다독인다.

그 모습-

흑천 서위가 우복의 명을 따라 계속 지켜보고 있었다. 흑천 서위는 망아를 보면서 많은 생각에 사로잡힌다. 문득. 그 옛날. 자신이 어렸던 그 시절. 흑천에 들어가기 전에 전쟁통에 다 잃어야 했던 서위 집안. 부족들이 서로 싸웠다. 가뭄이 들어서 먹을 것이 귀해지자 먹이를 찾는 짐승들처럼 그렇게 유목민들은 헤맸다. 그리고 더 힘들어지면 곧 그들끼리도 싸웠다. 여자와 아주 어린 아이들은 곧 노예다. 재물이다. 다시 승자의 재산이 된다. 그때의 생활. 흑천 서위는 그 기억이 아주 조금 남아 있었다. 그런데 망아를 보면서 그 기억이 조금 더 생생해졌다.

"은구야. 조금 힘들더라도 참아라."
"혀엉"
"참아야 한다. 곧 나아질 거야"
"어머니는…"
"안다. 그만 해라. 잊어… 이제… 우리가 살아야 한다. 아버지와 어머니가 우릴 살리려고 그리 애를 쓰셨듯 우리도 저 형제들을 살려야 하지 않겠니?"

장애가 있는 아이들도 일부는 함께 잡혀왔다. 사람값도 쳐주지 않을 그 아이들도 잡혀왔다. 그 아이들. 이제 어떻게 될까. 망아는 도무지 알 수 없는 미래가 두려웠다. 은구의 병도 깊어가고. 초로는 약재가 없어 오직 손가락 지압으로 은구를 돌본다. 기(氣)를 넣어 주려고 애를 쓴다. 그러나 은구는 몸의 병보다 깊은 속병으로 여전히 앓고 있다. 분노를 참지 못한다. 지기 싫어하던 은구. 은구의 심화(心火)는 깊었다.

언젠가 반드시 복수한다.

天 하늘의
二 다른 것은
三 삼이고
地 땅의
二 다른 것도
三 삼이며
人 사람의
二 다른 것도
三 삼이다

三 삼이며

대해부는 우복에게 넌지시 노예무역을 중단함이 어떠냐고 했다. 우복은 그럴 마음이 전혀 없다. 사람보다 더 값 나가는 것. 그것을 찾으면 이 일을 그만둘 것이다. 황금이든 뭐든 찾아와라! 그러면 중단할 것이다. 노예는 곧 노동력이다. 노동은 생산성이다. 각국은 물론 귀족들은 노예를 통해 부(富)를 얻는다. 그런 노예무역을 하지 않겠다는 것은 경제력을 잃겠다는 뜻이다. 우복은 그렇게 생각하고 있었다. 한성백제의 귀족들도 그러했다. 노비는 곧 귀족의 힘이다. 그걸 마다할 귀족은 없었다.

다만 양민이 문제다-

양민은 왕권과 관련이 있다. 귀족을 견제하기 위해 왕은 양민을 늘리려 한다. 이를 잘 아는 우복은 특히 비류왕이 노예제도에 대해 부정적이라는 점을 예의주시했다. 그래서 귀족들로 하여금 적절하게 왕권을 견제하기 위한 조세제도를 손보도록 조종해 왔었다.

"현재 백제의 조세제도는 단군조선의 그것과 다름이 없습니다. 시대가 바뀌었고 왕권이 강화되고 있습니다. 이러한 조세제도를 바꿔야 합니다."

조공(朝貢). 그래서 조공이다. 조선 임금에게 바치는 공물이 바로 조공(朝貢)이다. 어느 나라 어느 황제가 들어서도 조공이라고 한다. 천자의 나라에서도 다 조공이라고 한다. 조선에 바치던 공물이란 말인 조공은 곧 옛 단군조선이 얼마나 큰 나라였고 우두머리 국가였는지를 대변한다. 조공(朝貢)이라는 말이 생긴 것은 문자가 생길 때, 아주 오래전에 하늘과 하늘의 아들인 천왕과 천자에게 갖다 바친 것을 문자화한 것이다. 이것이 바로 조공(朝貢)이다. 백제는 각 지역의 태수들로부터 조공을 포함한 조세제도(租稅制度)를 옛 단군조선의 그것과 같게 했었다.

20분의 1 세법. 예로부터 단군조선은 20분의 1을 기본으로 세금을 징수했다. 다른 제후국과는 달랐다. 조공의 내용도 턱없이 작았다. 제후국들의 매우 귀한 특산물을 중심으로 생산량 일부만을 예의로써 받았다. 단군조선에서 이렇게 낮은 세금을 거두면서도 국가를 유지한 것은 다른 이유가 있었다. 우선 경제가 나았다. 무엇보다도 기술력이 월등했다. 무엇이든 생산성을 획기적으로 높였다. 또한 세상 교역의 중심이었다. 비단처럼 값이 매우 비싼 특상품이 많았다. 규모가 너무 큰 사원이나 궁궐, 능묘 등을 세우지 않았다. 특히, 관직을 최소한으로 했다. 지배귀족은 물론 왕족 자신들이 먼저 검소한 생활을 했다. 다른 이들을 이롭게 하려고 애썼다. 그것이 치(治)의 이념이었다.

홍익인간(弘益人間)-

물산이 다소 풍부했던 백제도 그러했다. 세금과 그 거두는 방식이 옛 단군조선의 제도와 같이했다. 백제도 도읍, 담로 등을 설치할 때면 먼저 지리적 위치를 잘 골랐다. 반드시 황토 흙이 풍부한 곳을 골랐다. 흙. 그 흙은 만 가지 변화의 근원이다. 불을 만나 그릇이 되기도 하고 물을 만나면 저수지가 되어 담기도 했다. 흙을 활용해서 성(城)을 쌓고, 해자(垓子)를 팠다. 해자는 적과 동물의 침입을 방어했다. 성(城)의 주위를 파 경계로 삼은 구덩이를 말한다. 외호(外濠)이기도 했다. 그 해자를 활용해서 농수로와 하수도를 겸하게 했다. 흙과 물을 활용해 농토를 정리했다. 그리고 거기서 나오는 곡물로 세금의 기준을 삼았다. 역시 20분의 1을 넘지 않게 했다.

이제 우복은 그 세금 문제를 건드리고자 했다. 세금을 조정하는 동시에 해상무역의 중심을 한성백제로 끌어오고자 했다. 흑우가 상단과 흑천, 대해부 상단 등 거대 상단들을 우복은 주무를 수 있었다. 막대한 이문과 권력이 우복의 손에 움직이는 시대가 되었다.

돈이 곧 권력이다-

대동이족(大東夷族). 대륙을 쥐고 흔들던 그 어떤 동이족도 우복처럼 상재(商材)에 밝은 사람은 없었을 것이다. 여불위가 되고자 했던 우복이 경제 권력에 눈을 뜨자 무서우리만큼 집착하기 시작했다.

돈벌이가 되는 것은 다한다-

흑천 서위는 노예 무사들로 하여금 대해부가의 상단에 망아와 망아네 고하 소도 일행을 노비로 팔라고 했다. 고하 소도 사람들을 대해부가에 두고 바닷길을 개척하며 자세히 살피라는 우복의 명에 따른 것이었다. 다른 곳에 넘길 수 있으나 지금은 아니다. 언제든지 넘길 수 있다. 천천히 살펴라! 조금이라도 의심될 내용이 있다면 철저하게 조사해서 전하라. 우복의 명령. 흑천 서위는 노예 무사들과는 별개로 대해부가 상단에 우복의 명을 받아 들어갔다. 흑천 호위장의 신분을 숨기고 단지 우복의 호위로서 대해부가 상단의 감독을 맡게 된 것이다.

"해상무역을 강화하라!"

"명을 받들겠습니다."

"이는 소서노 모태후 이후 백제의 국시(國是)다. 특히, 대륙백제와 열도를 열 수 있도록 새로운 길을 모색하라!"

오죽하면 백가제해(百家濟海). 백제가 국호 아닌가. 그 바닷길을 다시 개척하라는 것이 비류왕의 특명(特命)이었다. 어느 한 곳에 가뭄이 들어도 대홍수가 나도 백성을 먹여 살릴 수 있는 나라. 그렇게 풍족한 백제를 만들고 싶어 했다. 비류왕 여호기는 그랬다. 우복은 그 일에 흑우가 상단과 대해부가 상단은 물론 흑천도 활용했다. 공식적으로는 대해부가와 흑우가 상단이 중심이 되었다. 비공식적인 노예무역과 밀무역은 흑천이 대해부가와 함께 맡았다.

대륙백제를 넘어 모용씨족에서 선비 숙신의 특산물인 활과 화살, 화살촉 등을 동물 가죽옷과 더불어 반입했다. 남쪽 나라에서 보배 조개와 진주 등을 가져다주면 그 값을 후하게 쳐주곤 했다.

대륙백제 설리는 그런 한성백제의 비류왕 여호기에 대해 불만이 많았다. 그러나 함부로 움직일 수가 없었다. 모용외와 비류왕 여호기의 관계가 점점 깊어졌다. 후궁으로 모용오가 들어앉자 그녀의 부친 모용외는 더할 나위 없이 백제와 가깝게 지냈다. 또한 낙랑태수 장통의 아들 장무이는 백제 낙랑의 태수가 되었다. 이제 낙랑성은 백제 영지가 되었다. 모용씨족의 대칸 모용외는 사위이자 동시에 백제의 비류왕 여호기의 동서인 장무이더러 낙랑성을 다스리게 했다. 전쟁의 이유가 없어졌다. 단지 고구려가 문제였다. 가뭄은 아직 해갈되지 않았다. 대륙 북부는 모용씨족과 선우부족 간의 패권 전쟁이 남아 있었다. 고구려는 선우부족과 북부 부여 맥 족과 연합했고 모용씨족은 백제와 연합해 있었다. 그렇게 힘의 균형은 깨지기 쉽지 않아 보였다. 그러나 둑이 무너지는 것도 작은 개미구멍에서 시작하듯 이들은 서로 기회만 엿보고 있었다.

힘이다-

우복은 몰래 흑천과 대해부 상단을 활용해 노예무역을 더욱 강화해서 더 큰 부를 축적하려고 한다. 우복은 부하 흑천 서위에게 명령을 내렸다. 정복하라! 그리고 전리품을 얻어 한성백제를 부강케 하라. 흑천 서위는 노예무역을 위해 대해부 상단과 함께 바닷길을 개척하게 된다.

대해부가에는 일손이 많이 필요했다. 흑천 서위는 잔인하다. 그러나 한 소년에게만은 다르다. 따스한 미소를 지어 보였다. 망아였다. 흑천 서위는 이상하게 망아에게 끌렸다. 노예선에서부터다. 그리고 망아의 순수한 마음을 읽는다. 특히, 그놈, 눈빛이 징그러울 정도로 매서운 은구를 살뜰히 돌보는 망아에게 정이 간다. 흑천 서위. 세상에 살붙이라고는 아무도 없었다. 그저 식구들 다 잃고 기억으로 남아 있는 것이라고는 흑천의 무사로 길러진 훈련소밖에 없었다. 잔인한 흑천 서위가 망아를 따스하게 대했다.

"너는 무엇이 되고 싶으냐?"
"무사가 되고 싶습니다."
"왜? 무사가 되고 싶으냐?"
"제 아우를 지키고 우리 식구들을 지킬 것입니다."

아스라이 밀려오는 느낌. 그 기운. 가족을 지키기 위해 칼을 들겠다. 지킬 가족이 망아에게는 있었다.

"네 이름이 무엇이냐?"

망아는 잠시 망설였다. 어린 시절 이름은 망아. 본 이름은 여강이라 했다. 동생은 어린 이름이 은구. 본 이름은 여구라 말했다.

"좋은 이름이다. 여강. 여강은 매우 좋은 이름이다."
"…?"
"나에게서 무예를 배우지 않겠느냐?"
"예?"

망아는 깜짝 놀랐다. 백제 고마궁에서 나온 감독. 초절정 무사가 자신에게 무예를 가르쳐 준다고 했다. 너무 황당하고 놀라운 제안이었다. 망아는 선뜻 대답을 못했다. 너무도 좋아서 믿어지지 않았다. 무예를 제대로 배운다. 기껏 초로와 단복으로부터 호신술을 배웠다. 아버지 현고는 심법과 몇 가지 기초만 가르쳐 주었다. 본국 검법이나 기타 좋은 무예도 많으련만 아버지는 고작 몇 가지 기본기와 오직 심법만을 주요하게 가르쳐 주었다. 다 쓸데없다고 말씀했지만, 망아의 생각은 달랐다. 그 쓸데없는 무예가 없으면 식구를 돌볼 수 없었다. 망아는 흑천 서위의 제안에 기꺼이 동의했다. 대신 동생을 돌볼 수 있게 해달라고 했다. 자기 식구들을 돌볼 수 있게 해달라고도 했다. 흑천 서위도 동의했다. 그리 해주마.

무예를 배우고 바다를 익혀라–

대해부 상단의 배들은 그 규모가 크다. 곡물 100석은 너끈히 실을 수 있는 배들이 줄을 잇는다. 열 척, 때로 스무 척이 넘는 배들이 한꺼번에 움직였다. 호위 무사들만 수백 명은 족히 넘었다. 망아와 은구는 그렇게 대해부 상단과 함께 열도를 향해 갔다.

백제 왕자–

이번 대해부 상단의 열도 행에는 매우 귀한 왕자가 타고 있었다. 여설거였다. 흑천 서위는 설거를 돌보는 일에 망아와 지병을 앓고 있는 은구를 붙였다. 아무래도 나이가 비슷하니 왕자가 심심치는 않을 것이라 여겼다. 망아와 은구는 흑천 서위의 명에 따라야 하는 노예의 신분이었다. 은구는 안다. 흑천 서위. 보았다. 분명히 보았다. 자신의 옆구리를 발로 걷어차고 어미를 죽인 자. 그자. 은구는 그자가 바로 흑천 서위임을 알고 있었다. 은구는 한 번 본 것은 비록 스쳐 본 것이라도 잊는 법이 없었다. 그런 철천지원수를 잊을 수가 있는가. 없다. 절대 잊을 수 없었었다. 그 사람이 바로 흑천 서위였다. 백제 왕자를 모시는 호위장. 그자가 눈앞에 있다.

"…!"

흑천 서위는 초절정 고수다. 은구가 뒤에 있으면 느껴지는 살기(殺氣). 그 살기를 느끼면서 비릿한 웃음을 짓는다. 이놈. 이 망아의 동생이라는 놈은 자신이 바로 자기의 원수라는 것을 알고 있다. 비록 한밤중이라고 해도 얼굴이 노출되었을지도 모른다. 그것은 거의 맞을 것이다. 은구는 알고 있다는 느낌. 그 느낌이 살기로 뒤통수를 노리고 있었다. 그래서 더 좋았다. 날이 잘 선, 칼을 만지는 느낌. 그런 생각으로 은구를 보았다. 그리고 말을 건네곤 했다.

“건강해라. 그래야 뜻을 이룬다.”

흑천 서위의 말에 은구는 항상 의문이 생기곤 했다. 나를 알고 있다. 내가 자신을 알고 있는 것을 아는 것 같기도 했다. 그런데 망아에게 따사로이 하는 것을 보면 아닌 것 같기도 하고 또 자신의 노려보는 것에 의미심장한 말도 던진다. 저 사람. 분명한데…

“왜 그래?”

망아는 흑천 서위만 보면 증오심을 드러내는 은구가 이상해 보인다. 흑천 서위는 은구에 대해 많은 애정을 가지고 병을 걱정해주곤 했다. 망아는 그런 흑천 서위가 고맙고 감사했다. 그런데 은구는 다르다. 흑천 서위 호위장을 보면 잡아먹을 듯이 성미를 드러낸다. 은구는 제 성미를 감출 줄 모른다. 어릴 때부터 그래 왔다. 그래서 망아는 은구를 잘 안다. 뭔가 있는데… 은구는 망아에게 말하지 않는다. 은구는 흑천 서위가 바로 현고와 어미 우아를 죽인 자라는 사실을 혼자만 기억하기로 했다. 저절로 드러나는 증오심을 제외하면 최대한 예를 다하기로 했다. 흑천 서위 가까이에 있는 망아에게 해가 될 수도 있었다. 더구나 서위 호위장에게 망아는 무예를 배운다고 했다. 성미가 급한 망아가 흑천 서위가 어머니를 죽인 사실을 알고 섣부른 행동을 할까 봐서 혼자만의 비밀로 간직한다. 흑천 서위는 가늠할 수 없는 초절정 고수다. 그걸 은구는 안다. 그리고 은구는 힘이 생길 때까지. 또 반드시 죽일 수 있을 때까지 기다리기로 마음을 고쳐먹었다.

"동생 때문에 송구합니다."
"송구할 것 없다. 다 그런 것이다. 무예에만 정진하거라."

망아는 흑천 서위의 무예를 배우면 배울수록 자신과 참 잘 맞는다고 생각했다. 그럴 수밖에 없었다. 현고의 무예 뿌리도 흑천이다. 그 심법(心法) 자체가 옛 단군조선의 소주천(小宙天), 즉 작은 우주(宇宙)의 기운을 모으는 것이 아닌가. 바로 흑천 서위의 무예를 받치는 심법이었다. 흑천 서위는 망아의 심법이 자신의 그것과 같다는 것을 알고 씁쓸해진다. 망아는 반도의 아들이다. 그런데 그런 망아에게 자꾸만 마음이 가는 것을 어쩔 수가 없다.

이것이 인간사(人間事)다-

다 그렇다. 인간이 인간에게 끌리는 것에 이유가 없다. 흑천서위는 훗날 이 일이 어떻게 전개된다 하더라도 그것이 다 운명이라고 생각하기로 했다. 그렇게 여기고 지금은 그저 마음이 가는 그대로 하기로 했다.

대해부가는 일반 상단이 아니었다. 위(倭) 야마다 비미호 여왕이 상단의 최고 주인이다. 대해부는 곧 천인(天人). 여왕의 아버지가 아닌가. 망아와 은구는 깜짝 놀랐다. 그래도 한 왕국의 국부(國父)가 상단을 이끈다. 열도에서 대해부가 상단은 곧 야마다의 모든 것이었다. 군함도 있었다. 삼백 척이 넘는 함대와 상단이 백여 척이 넘었다. 대 상단이었다. 저 멀리 서역과도 교통한다고 했다. 뜨거운 모래사막의 나라와도 교역하고 남쪽 정글 속의 황금 왕국하고도 교역을 나누고 있었다.

"너 누구냐?"

한 소녀가 물었다. 신분이 매우 높아 보였다. 왕자 여설거를 모시던 은구는 야마다 신궁(新宮) 안을 걷다가 한 여자아이를 만났다. 그 소녀가 이상한 물건 보듯 은구를 보고 고개를 갸웃거리며 서 있었다. 소녀의 옷차림이 이상했다. 입은 듯 안 입은 듯 했다. 치장해서 그런지 광대 같았다.

"넌 누구냐?"

꼬마 소녀는 황망했다. 이 소년. 십 대 중반. 도무지 본 적도 없는 놈이 감히 야마다 신궁에서 자기에게 반말이다. 참 생긴 것은 그런대로 사내다운데 어딘지 허약해 보였다. 병이 있는 것 같기도 하다.

"너 이번에 한성백제에서 왔구나?"
"아하, 넌 여기 야마다 아이구나!"

대구법이다. 그 대구법에 꼬마 소녀는 순간 재미가 들었다.

"내가 너와 장난하는 것 같니?"
"너 나하고 놀자고 하는구나!"
"…?"
"…!"

잠시 침묵이 흘렀다. 꼬마 소녀의 입이 삐죽 튀어나왔다.

"그러다 죽는다?"

"이래도 산단다."

은구는 꼬마 아가씨와 노는 것이 재미있었다. 꼬마는 광대 옷에 화장까지 해서 더 귀여웠다. 곧 연회장에 나갈 아이인 것 같았다.

"허 고얀 놈이구나."

"허 귀여운 아이네"

꼬마 소녀는 은구의 대구법 말장난에 재미가 조금 더 생겼다. 야마다 신궁 내에서 자신에게 누가 이렇게 장난을 걸어줄까. 아니 자신만 보면 다 고개를 숙이고 절절맨다. 게다가 누구를 닮았는지 성미가 보통이 아닌 자신과 장난 칠 생각을 아예 못한다. 그러나 이 한성백제에서 온 노비는 달랐다. 이 노비는 그 표정부터 따스했다. 은구는 어릴 때부터 장애아들을 돌보며 어렵고 힘든 사람들이 많은 소도에서 자랐다. 그 경험이 있다. 안다. 아이들의 표정에서. 외롭고 힘들고 아픈 아이들이 어떤 느낌으로 얘기해야 마음을 여는지.

꼬마 아씨도-

외로운 아이다. 이 어린 나이에 광대 일을 해야 하니 얼마나 힘이 들 것이냐. 그래서 위로했다. 그 위로. 그 마음이 꼬마 아씨를 재미있게 했다. 야마다 신궁의 비미호 여왕 인화 신녀의 딸 연희였다. 연희는 지금 설거 왕자가 왔다기에 치장을 하던 중에 잠시 바람을 쐬려 도망 나온 것이었다. 지금쯤 자신이 없어진 줄 알고 시녀들이 난리가 났을 것이다. 그런데 은구와 말장난을 하니 재미가 생겨 시간 가는 줄 모르고 있었던 것이다. 연희가 조금 미간을 좁혀 생각하더니 물어왔다.

"너 나이가 열네 살이니?"

기가 막힌 눈썰미다. 어린 소녀가 딱 은구의 나이를 알아맞혔다. 은구도 미간을 좁혀 연희의 나이를 알아맞히고자 했다.

"넌 나이가 일곱 살이네!"

연희는 이 아이가 보통이 아니라고 생각했다. 자신은 엄마를 닮아서 다른 아이들보다 약간 작다. 그리고 지금 치장을 하고 있어서 쉽게 자신의 나이를 맞추지 못할 것으로 생각했다. 더구나 자신은 신녀가 아닌가. 자신의 말뜻과 의도를 정확히 알고

이 노비가 대답하고 있었다. 놀라운 배짱이기도 했다. 한성백제 사람들은 다들 이러한가? 감히 차기 비미호 여왕과 시합을 걸고 있는 것이다. 교묘한 말장난이지만 적절한 대응 구(句)를 못 찾으면 한순간 말이 막힌다. 그리고 처음부터 은구는 소녀의 의도를 알아챘다. 말을 나누고 싶은 아이. 가엽고 외로운 기운이 느껴져 연희를 상대하고 있었던 것이다. 그런 은구의 재능을 연희는 들여다보고 있다.

말대꾸 시합-

은구와 연희는 그렇게 서로 통했다. 이 일이 장차 어떻게 변모될지 또 하늘의 뜻이 어디에 있는 것이지 알 수는 없지만 잠시 서로의 신분을 잊고 즐겁게 지냈다. 사실 둘은 사촌 간이다. 이종사촌. 은구의 생모 선화는 위(倭) 야마다 비미호 여왕 신녀다. 어찌된 일인지 은구는 야마다 신궁이 낯설지 않고 편했다. 마치 고향에 온 것 같았다. 연희 역시 격 없이 자신을 대하는 은구에게서 어딘지 모를 귀함을 느끼고 있었다. 귀한 아이인데… 병이 있는 것 같았다. 연민이 싹트고 있었다. 야마다 신궁에.

天 하늘의
二 다른 것은
三 삼이고
地 땅의
二 다른 것도
三 삼이며
人 사람의
二 다른 것도
三 삼이다

뜻대로 다 되는 것이 아니다. 그런 생각이 대해부에게 들었다. 분서왕의 아들 왕자 여설거. 왕재를 보면서도 연희는 별 표정이 없다. 위(倭) 야마다 비미호 차기 여왕 신녀(神女)는 지금 백제 왕자 여설거를 보며 별다른 감흥을 못 내고 있었다. 심심해한다. 짙은 화장으로 치장한 얼굴 뒤에 표정이 보이는 듯 했다. 특히, 눈초리가 두세 번 올라갔다 내려간다. 백제왕자 설거의 거만한 태도에 흥을 잃은 것이다.

참나—

설거 또한 이 괴상망측한 소녀의 태도가 마음에 안 들었다. 자기보다 훨씬 어려 보였다. 그런데 저 고압적인 태도란. 말도 딱딱 끊어진다. 어느 때에는 웅얼웅얼 무슨 소리를 하는지 모르겠다. 마땅치 않았다. 첫 대면은. 그래서 다들 분위기를 바꾸기로 했다. 마상무예를 보기로 했다. 야마다는 지금 기마대 육성에 전력을 기울이고 있었다. 백제가 그 일을 돕고 있었다.

열도에 물결이 일고 있다—

열도 북쪽의 부여 의라왕계를 고구려가 지원하면서 새로운 중심 세력이 등장했다. 고구려. 가우리 족이 가야와 신라 세력에 추가되어 열도 북쪽에 문물을 전수하기 시작한 것이다. 가우리의 진출은 열도에 변화를 주고 있었다. 고구려의 기마대에 가야의 가벼운 철제 기갑이 입혀지기 시작했다. 속도전, 즉 기마대가 중요해지기 시작한 것이다. 가우리가 열도 북쪽에서 더 세력을 넓히기 전에 야마다도 기마병 육성에 나서야 했다. 백제의 지원이 그만큼 중요해졌다.

마상무예장—

야마다의 마상무예장은 독특했다. 백제의 그것과는 사뭇 달랐다. 야마다를 상징하는 깃발들이 둥글게 원을 이루고 있었다. 해가 드는 쪽에 단상이 있었다. 마장에는 노예들이 실제로 쫓기고 있었다. 구경하던 사람들이 웃고 즐기는 오락장이었다. 말을 탄 사람이 노예를 쫓으면서 실전 무예를 익히고 있는 풍경. 단상에서 이를 즐기는 사람들과 달리 단 아래에서 노예들은 오금이 저렸다. 은구가 지켜보고 있었다. 설거와 흑천 서위 일행이 마상무예장으로 조금 일찍 나와 있었다. 망아와 은구도 나와 있었다. 말은 빠른 속도로 달렸다. 그 말에 정신이 팔려 있던 은구는 야마다 여왕 신녀 일행이 들어오는 것을 보지 못했다.

북. 고(鼓)가 울렸다. 여왕이 납신다. 다들 고개를 숙였다. 은구도 그랬다. 다시 고(鼓)가 울리고 고개를 들자 어? 놀랐다. 여왕 옆에 작은 여왕 같은 아이. 신궁(新宮)에서 본 그 아이였다. 은구는 아차 싶었다. 그 순간 알아챘다. 그녀의 말투. 외로운 이유. 그리고 왜 자신에게 목숨을 건 농담을 했는지. 정말로 그녀는 자신의 목숨을 가지고 놀만 한 지위였던 것이다. 그런 자신을 순순히 봐준 것이다.

휴-

은구는 한숨을 내쉬었다. 그 소리를 듣기라도 한 것처럼 야마다 차기 신녀 연희는 은구를 보았다. 그리고 그 옆에 있는 늠름한 청년 같은 망아도 보았다. 둘은 사이가 좋아 보였다. 망아는 벌써 의젓한 무사 티가 나고 있었다. 은구는 연희를 똑바로 바라보지 않기로 했다. 괜히 쳐다보고 야마다 신궁에서의 일을 떠올리면 자기만 손해라고 생각했다.

저놈 봐라-

연희는 보고 있었다. 두 명의 노예와 두 명의 기마병이 나서서 말 위에서 무예실력을 뽐내고 있는 것을. 번갈아. 뭔가 골려줄 일이 없을까? 저놈 재치를 골탕먹일 것이 뭐가 없을까. 그렇게 골똘히 생각하고 있었다. 연희의 생각은 읽지 못하고 은구와 망아는 마상무예장에 온 정신이 팔려 있었다. 마상무예는 눈부셨다.

"겨누어 보아라!"

야마다 기마대에 명이 내려졌다. 말은 힘차다. 말 위에 사람이 타고 있으면 더욱 그렇게 느껴진다. 힘. 위압감이 대단하다. 특히, 말 아래에 있는 사람들에게는 두말할 여지가 없는 것. 더욱 그렇게 여겨진다. 열 명의 노예들을 상대로 두 명의 기마 무예가 펼쳐졌다. 기마병의 무예실력은 대단했다. 말 위에서 노는 솜씨가 예사롭지 않았다. 여왕님 앞에서 시범을 보이도록 뽑힌 자니 보통이었겠는가. 노예들은 방패와 검을 들었지만, 순식간에 한구석으로 몰렸다. 망아와 은구는 그런 노예들이 불쌍했다. 단상 위의 왕족들은 희희낙락이다. 좋아들 한다. 은구가 골이 났다. 형. 저건 무예가 아니야. 도살이지. 괜히 힘없는 사람들을 못살게 구는 것이다. 그렇게 생각하자 더 보기가 싫어졌다.

"어떻습니까? 저렇게 기마병이 우수합니다."
"백제는 다릅니다."

여왕 인화의 말에 백제에서 온 왕자 여설거가 반발했다. 이 때문에 연희가 골이 났다. 대뜸 반문했다.

"뭐가? 뭐가 다르단 말입니까?"
"저 노예들처럼 도망만 다니는 자들을 쫓는 것은 누구나 할 수 있지요."
"그럼 노예가 도망가지 않는다는 말입니까? 백제 노예들은 다르단 말입니까?"

불똥이 엉뚱한 곳으로 튀고 있었다. 연희는 설거에게 너희 백제 노예들은 무사들처럼 기마병도 상대한다는 말이냐. 하고 물었다. 비미호 여왕 인화도 연희의 말을 막지 않았다. 분위기가 묘해졌다. 설거도 더는 말하기가 어려웠다. 연희는 그런 설거의 태도에 더 골이 났다. 아침나절에 노예차림의 은구를 상대해서도 그랬다. 그 아이 정말 똑똑해서 봐준 것이었는데… 백제의 왕자가 노예마저 백제 노예가 낫다고 하니… 은근히 자존심이 상했다. 오늘만 두 번째, 지고는 못사는 연희가 뭔가 분풀이할 상대가 필요해졌다.

"그럼 해보면 되지!"

"…?""

연희는 비미호 여왕 인화에게 귓속말했다. 비미호 여왕이 일어섰다. 그리고 선언했다.

"백제 노예 중에 저 기마병을 상대로 해서 이기는 자가 있다면 당장 노예를 면해주고 상단의 호위 무사가 되게 하겠다."

그리고 여왕은 설거를 쳐다보았다. 감히 누가 기마병들을 상대로 덤비겠느냐? 여왕의 위엄이었다. 문제는 노예였다. 노예

중에 무예가 뛰어난 사람을 골라야 하는 데 흑천 서위가 나설 수도 없었다. 더욱이 여왕의 심기가 불편한데 괜한 싸움만 될 뿐이었다. 그러나 설거는 달랐다. 치기가 남달랐다. 게다가 연희의 냉대도 뒤틀린 심사에 한몫했다.

“나서 거라. 기마병을 이기는 자가 있으면 내가 소원을 들어 주리라.”

한 술 더 떴다. 설거의 치기와 여왕의 엄명 때문에 주변이 다 술렁거렸다. 여왕 인화는 거봐라는 듯 설거를 보았다. 설거는 아무도 나서지 않는 상황에 당황하기 시작했다. 흑천 서위도 그랬다. 누구도 나서기 쉽지 않다. 저 기마병도 보통 실력이 아닌데. 노예 주제에 말까지 탄 기마병을 이긴다? 섶을 지고 불로 뛰어드는 격이다.

은구는 피식 웃었다. 하지만 자신의 몸 상태가 아직 온전치 않았다. 나서고 싶은데 나설 수 없는 상태. 은구는 안타까웠다. 망아도 나설까 말까 고민하고 은구를 쳐다보고 있었다. 은구의 지금 몸 상태로는 쉽지 않았다. 은구는 옆구리 상처 때문에 물이 찬 것을 겨우 추궁과혈(椎躬過穴), 타혈(打穴)을 하고 있었다. 망아의 눈빛을 받고 아니야 라고 고개를 흔들었다. 그것을 단상 위의 연희가 보았다. 그리고 설거 왕자에게 말했다.

"백제에서 이번에 사들인 노예 모두를 풀어서 저 기마병을 어느 백제 노예가 이기는가를 보아도 되겠습니까?"

설거는 난처했다. 흑천 서위도 작은 여왕 연희의 말에 흠칫 놀랐다. 대가 세다. 끝을 보고야 마는 성미다. 이제 백제 노예들은 위기에 처한다. 비미호 여왕 인화의 말은 설거와 흑천 서위는 물론 마상무예장의 모든 사람을 경악하게 했다.

"진짜 실력은… 살고 죽음에서 나온다. 진검으로 겨눈다. 이번 백제에서 사들인 모든 노예를 데려오라!"

다 죽여도 좋다. 증명을 해봐라. 이제 백제에서 사들인 이번 노예, 즉 고하 소도의 식구들이 포함된 노예들 모두를 죽여서라도 백제 노예의 우수성을 증명하라는 여왕의 명이 떨어졌다. 연희조차 깜짝 놀랐다. 일이 너무 커져 버렸다. 설거 왕자의 치기가 여왕을 분노하게 했다. 설거로서는 자신의 재산이 손해나는 것도 아니고 그렇다고 자신이 대신할 수도 없는 일이어서 입을 다물고 있었다. 설거가 그저 실언이었다고 하면 될 일이었다. 흑천 서위가 나섰다.

"왕자님. 이제 그만 수습을…"
"내가 뭘?"

설거는 외면했다. 고집을 피웠다. 그런 모습이 인화의 성미를 또 돋우었다.

다들 끌어와라-

은구는 사태가 이상하게 꼬여버렸다고 생각했다. 묘수를 찾아야 한다. 묘수를-. 망아도 망연자실. 진검을 든 기마병을 상대로 아무리 숫자가 많아도 그렇지. 기마병의 무예가 어지간한 솜씨가 아니고 군마 또한 보통 말이 아니다. 이건 도살이다. 잠시 후 닥칠 엄청난 상황에 정신을 놓고 있는 망아에게 은구가 귀엣말하기 시작한다.

"우리 둘이 하자. 형, 내 말대로 해!"

은구가 방책을 말했다. 형 망아는 흑천 서위로부터 무예를 배우는 중이다. 그래서 은구가 그런 망아를 활용해서 기마병을 이길 방도를 찾고 있었다. 무기를 잘 골라야 했다. 마상을 무리번

거렸다.

다행이다-

있었다. 은구가 원하는 것들이. 무기가 있었다. 그리고 백제 노예들이 마상무예장으로 잡혀 들어왔다. 다들 이게 무슨 일인가 겁에 질려 있었다. 그 순간. 망아가 나섰다.

“저희가 해보겠습니다.”

흑천 서위는 망아를 보면서 놀란다. 역시. 저놈밖에 없을 것이다. 하지만 2대 1은 너무 힘들다. 어렵다. 망아는 한 사람을 겨우 상대할 수 있을지 모르는 수준이다. 흑천 서위는 염려되었다. 진검도 안 써 봤는데… 어? 그때 망아 옆으로 은구도 나선다. 이건 뭔가. 저 병약한 아우 놈까지… 뭘 하겠다는 것인가. 아마 잠시 한 기마병의 시선을 분산시키겠다는 것인데 너무 위험하다. 너무 위험해. 그리 생각했다. 연희와 비미호 여왕 인화도 놀랐다. 나서는 자가… 죽으러 나오는 노예가 있었다. 설거는 오히려 재미있다고 생각했다. 이런 재미도 있구나. 즐거워졌다. 기마병과 노예의 목숨을 건 싸움. 새로운 흥미를 주고 있었다.

"대신 다른 백제 노예들을 죽이지 말아 주십시오."

그랬다. 망아와 은구는 다른 식구들이 기마병에게 다칠 것을 두려워했다. 그래서 나섰다. 은구는 이제 살아야 했다. 한순간, 이 사태를 이겨내야 했다. 몸만 성하면 이까짓 것 했을 일이다. 은구는 그런 아이였다. 도무지 불가능이 없다. 어떻게든 해낸다. 고하 소도의 식구들은 그래도 은구와 망아를 염려했다. 말도 안 된다. 열도 최고의 무사 둘을 그것도 군마와 함께 있는 그 기마병을 상대로 진검 승부라니. 이는 이미 승패가 결정 난 일이다. 그래서 고하 소도 식구들은 진땀이 났다. 오후 햇볕이 화살처럼 느껴졌다. 모두 입안이 바싹바싹 타고 있었다.

비미호 여왕 인화와 연희는 두 노예가 가상했다. 대신 백제 노예를 다치게 하지 말아 달란다. 자신들이 희생해서 일행을 지키려 하고 있다. 하지만 승부는 승부다. 무기를 고르라고 했다. 은구와 망아는 천천히 무기를 향해 걸어갔다. 망아는 직선의 가벼운 백제 검을 양손에 들었다. 은구는 가운데에 철판이 잘 붙어 있는 방패 하나와 폭이 넓고 둔탁해 보이는 작은 반월도를 들었다. 그리고 잠시 시간을 달라고 했다. 망아는 흑천 서위에게서 익히고 있는 무예를 떠올리고 칼을 휘둘러 보았다. 그 옆에서 땅바닥에 무릎을 꿇은 은구는 기도라도 하는 듯 했다. 전

지신명께 살려달라고 하는 것 같았다. 이것이 사람들에게 안타까움을 더 하고 있었다. 곧 죽을 노예들. 그 노예가 바로 은구와 망아였다. 고하 소도 사람들은 자신의 목이 걸린 듯 마상무예장을 똑바로 바라보지 못했다.

은구-

여전히 방패와 칼을 내려놓고 매만졌다. 은구는 물을 마시고 칼에 뱉었다. 무얼 하는 것인가? 방패와 칼을 가지고 한참 시간을 끌었다. 그리고 마침내. 은구가 일어섰다. 망아도 다짐했다. 은구와 망아는 이제 두 기마병과 대결해야 한다.

쿵쿵-

말들이 흰 김을 내뿜는다. 어서 달려가자. 저 두 아이는 어찌하는가. 기마병들도 어이가 없었다. 두 소년. 망아는 은구를 자신의 뒤로 숨겼다. 은구는 망아 뒤에서 말들을 보고 있었다. 은구는 잔뜩 겁에 질린 모습이었다. 기마병들이 서로 눈치를 본다. 한꺼번에 달려들자니 마음이 내키지 않았다. 그 방심. 눈빛을 교환한 기마병 한 명이 들입다 내 달려 덤벼들었다. 망아와 은구에게로 진검을 들고 전속력으로 돌진해 왔다.

쓰러졌다-

기마병이 쓰러졌다. 아니 말이 달려들다가 갑자기 경기를 일으키며 쓰러져 버렸다. 어느새 망아는 쓰러진 기마병을 제압하고 칼을 빼앗았다. 한순간에 벌어진 일이었다. 기마병은 이제 하나다. 남은 기마병이 그 모습을 보고 또 달려들었다. 망아가 아닌 은구를 향해 덤벼들었다. 망아는 얼른 은구에게 향했다.

뭔가-

번쩍거리고. 또 쓰러졌다. 말은 망아 앞에서 바로 튀어 올랐다. 뭔가에 기겁해서 쓰러지고 역시 망아가 말에서 떨어져 정신 없는 기마병을 제압했다.

"형, 죽이지 마. 절대 죽이지 마"

그렇게 은구로부터 미리 얘기를 들었던 터라 기마병을 제압하기만 했다. 그리고 망아는 단상 위의 여왕에게, 자 보십시오. 이렇게 우리가 이겼습니다. 라고 말하듯 기마병에게서 빼앗은 진검을 들어 보였다. 비미호 여왕은 놀랐다. 백제 노예들이 성말 이겼다. 두 명이 두 기마병을 이겼다. 이런 망신이 없었다. 백제 노예에게 진 기마병들. 화가 치밀어 올랐다. 저 노예들 무슨 수를 쓴 것이다. 비미호 여왕과 달리 연희는 놀란 가슴을 쓸어내렸다. 그 노예들. 자신과 말대꾸로 농담을 나눴던 그 아이가 이겼다. 연희는 보았다. 은구의 행동만을 유심히 보고 있었다. 흑천 서위도 설거도 비미호 여왕마저도 다들 망아를 보고 있을 때, 연희의 시선은 은구에게 멈춰 있었다. 고하 소도 사람들과 마상무예장에 있던 사람들이 다 놀라 잠깐 정적이 흘렀다. 그리고 이어 모두가 노예의 승리에 환호했다. 너나없이 그렇게 환호를 보내고 있었다.

그랬다-

사람들의 시선을 망아에게 분산시켜 놓고 은구는 치밀하게 기마병과의 싸움을 준비하고 있었다. 얇은 철판이 붙은 방패와 볼이 넓은 반월도. 그 두 개의 넓은 부분이 교묘하게 말의 눈을 향하는 순간을 연희는 보았다. 하늘의 강렬한 태양빛이 반사되어 말의 눈을 순간 멀게 했을 것이다. 만약 기마병 둘이 한꺼번에 덤볐으면 저 아이 방패와 칼을 동시에 말의 눈에 맞추려 했을 것이다. 가능했을까. 대모험이다. 목숨을 건. 침착하게 그 일을 준비한 것이다. 땅바닥 흙으로 방패의 철판과 칼의 옆면을

닦아 광을 냈다. 그래야 좀 더 빛이 강할 것이고 그렇게 해야 말이 놀라서 기마병을 떨어트릴 것으로 생각했을 것이다. 연희는 그런 은구가 놀랍다. 익히 말싸움을 해봐서 안다. 보통 노예가 아니다.

여왕이 화났다-

달랠 수 있는 것은 연희뿐이다. 대해부도 그 일에 대해 듣고 미소를 지었다. 잘됐다. 인화가 달라지는 것이 더 좋다. 약한 것을 아는 것. 그래야 배운다. 낮아져야 높이 오른다. 산도 골이 깊어야 높다. 사람도 만물도 다 그런 이치로 이루어져 있다. 그런데 인화는 선화와 달리 성격이 강하다. 그리고 항상 위에서 군림하는 것이 오랜 습관이어서인지 안하무인격이다. 연희도 어미를 닮아 그러한데 연희부터 달라지고 있었다. 이번 일. 아주 좋은 일이다. 좋은 노예가 들어왔다. 복이라고 생각했다. 다들 동생을 지키려는 망아의 무술 솜씨에 감탄했다. 그런 망아가 대해부가 상단에 들어왔다며 연희가 인화를 달랬다. 망아는 백제 것이 아닌 야마다 대해부의 것이라고 했다. 듣고 보니 연희의 말이 옳았다. 대해부 상단의 호위 무사면 될 일이다. 백제 노예에게 진 것이 아니다. 여왕은 망아에게 기마병을 이긴 방도를 물어봐야 했다.

"그랬냐?"

"예, 그랬습니다!"

연희의 예상대로 망아는 은구와 함께 그런 작전을 썼다. 옛날 어린 시절 청동거울 빛에 놀란 기마대 말 사건을 망아와 은구는 기억에서 떠올려 말을 노린 것이다. 말이 놀라면 기마병이 할 수 있는 일은 떨어지는 것밖에 없다. 말은 은구가 반사시킨 태양빛에 놀랐고 그 틈에 망아가 기마병을 제압한 것이다. 망아가 은구를 뒤에 숨긴 것도 기마병이 한곳으로 달려오게 하기 위해서다. 기대한 대로 차례로 덤빈다면 그건 더욱 승산이 있었다. 예상대로 기마병들은 자만했다. 아니었다면 망아는 자신의 몸을 던져서라도 은구를 지킬 생각이었다고 말했다. 비미호 여왕은 마음이 움직였다. 형제의 우애. 그 진한 사랑이 전해졌다. 인화는 언니 선화를 떠올렸다. 오직 하나뿐이었던 혈육. 언제나 자신을 어미처럼 돌봐주던 비미호 여왕 선화. 따스한 그 언니의 정이 뭉클 가슴에 차올랐다.

그래서 여왕은 당장 망아와 은구를 노예에서 면하고 호위 무사 중위(中位)에 임명했다. 연희의 호위를 맡겼다. 연희가 그렇게 원했다. 그리고 설거가 들어준다던 소원을 대신 들어줄 테니 말하라 했다. 설거가 들어주면 안 된다. 왜냐면 너희는 대해부가의 소유이기 때문이다. 이제 내가 들어줄 것이다. 그러니 내게 말하라.

“저희 고하 소도 사람들에게 편히 살 수 있도록 땅을 내어주십시오. 열심히 경작하고 일을 해서 여왕님의 은덕을 갚게 해주십시오.”

고하 소도. 그 사람들. 불쌍한 그 아이들도 챙겨주십시오. 재주가 많습니다. 노예가 아니라 사람으로 대해부가를 위해 일하게 해주십시오. 사람답게 살게 해주십시오. 이때 은구도 처음으로 말문을 열어 간청했다. 망아도 따라서 간청했다. 그 모습이 연희를 감동하게 했다. 연희도 인화에게 청했다. 인화는 그 모습들이 어여뻐서 대안을 찾기로 했다. 신궁 바로 옆에 마침 말을 관리할 자들이 필요했다. 여왕은 망아와 은구에게 일렀다. 신궁 옆 마가(馬家)를 이루거라. 그렇게 해서 말을 관리하는 백제 양민 촌이 고하 소도 마가라는 이름으로 신궁 옆에 차려지게 됐다. 망아와 은구 덕에 고하 소도 식구들은 다시 예전처럼 모여 살게 되었다. 이때부터 망아는 연희를 마음에 품게 되었다. 고마운 마음이 연민으로 자란다. 아무도 그것을 눈치채지 못했다.

흑천 서위 또한 망아의 행동과 성과에 매우 흡족했다. 망아가 자랑스러웠다. 가슴이 뿌듯했다.

천만다행이다-

왕자 여설거 또한 자신의 치기로 말미암아 일이 크게 벌어진 것에 백제가 망신을 안 당하고 일이 잘 마무리 된 것에 기뻐했다. 그리고 백제의 위상이 한층 더 높아진 것에 대만족했다.

네 생각이 놀랍구나-

은구의 비범함을 연희는 안다. 망아가 아니다. 은구가 그렇게 미리 망아와 작전을 짜는 것을 연희는 보았다. 그리고 은구만을 예의주시했던 연희는 은구가 병색 탓에 그 비범함이 드러나지 않고 있다는 것도 알았다. 은구는 깊은 병을 안고 있었다. 복막염이었다.

天 하늘의
二 다른 것은
三 삼이고
地 땅의
二 다른 것도
三 삼이며
人 사람의
二 다른 것도
三 삼이다

二 다른 것도

뱃길은 고생길이었다. 그러나 그 고생 끝에 대해부가에서 은구는 큰 것을 얻었다. 위(倭) 야마다 비미호 신녀(神女)의 말을 보호하는 마가(馬家)가 되었다. 고하 소도는 이제 걱정이 없어졌다. 은구는 그것이 제일 기뻤다. 그 일에 연희가 큰 노력을 해주고 여왕의 비위를 맞추어 준 것을 안다. 알게 되었다. 처음 본 날 말장난을 주고받은 것이 둘만의 비밀이 되어 좋은 관계가 되었다.

홀ᄛ히디

망아, 즉 여강은 흑천 서위로부터 흑천의 살수 무예를 배우고 더욱더 의젓해졌다. 고하 소도의 사람들은 대해부가의 노예에서 야마다의 말을 관리하는 양민이 되었다. 사람들은 망아를 중심으로 잘 뭉쳤다. 그러나 연희는 은구를 더 주목했다. 마가촌(馬家村)이 정리되자마자 은구를 찾았다. 그리고 지난 일을 되짚기 시작했다. 자신의 생각을 물어왔다.

"어떻게 그걸 알았니?"

"일곱 살 때 놀란 말을 보고 알았습니다. 말은 거울 빛이 눈에 쏘이자 놀라 우리 아이를 덮치려 했습니다. 그래서 말 눈을 비춘 그 거울을 막자 말이 진정되었습니다."

"그래서 흙에 물을 묻혀 철판과 칼 옆을 닦았느냐? 빛을 더 내기 위해"

"예"

"그랬구나. 내 생각이 맞았어. 그런데 기마병이 안 무서웠더냐?"

"말이란 본시 잘 다루면 훌륭한 병기이지만 잘못되면 말 위에 탄 사람을 놀라게 하고 떨어트리기도 합니다."

"그 말의 속성을 잘 이용했구나."

"기마병을 잡을 때, 그 힘이 어디 있느냐를 보면 됩니다. 말이 힘이면 말을 부러뜨리면 됩니다. 말이 놀라면 그 위에 탄 병사는 오히려 위태로워집니다."

은구가 공손히 대답했다. 은구의 대답에서 연희는 많은 것을 느꼈다. 연희는 은구의 의도를 마상무예장에서 이미 알고 있었다. 그러나 은구의 입을 통해 듣고 보니 더 대단했다. 훤하게 꿰뚫고 있었다. 기마병 정예부대를 준비하고 있는 야마다의 의도를 알고 어떻게 해야 하는지를 얘기하고 있었다. 마치 여러 번 전쟁이라도 치른 책략가 같았다. 어떻게 배운 것이냐고 물었다. 그러자 빙그레 웃는다.

"저기요. 하늘… 땅… 여기요. 사람들이 사는 곳에 다 있잖아요."

그랬다. 은구는 그렇게 말했다. 하늘과 땅에서 사람들 사이에 그렇게 있었다. 세상사에서 배우고 있었다. 은구는 사물을 통해 격물의 이치며 정심(正心), 나아가 수신제가(修身齊家)의 원리를 깨치고 있었다.

"물이 위에서 아래로만 흐른다고 하잖아요. 그런데 안 그래요. 물은 아래에서 위로도 흘러요."

"어떻게… 어디? 그런 데가 어디 있어?"

"여기요. 이 나무에서 이 풀에서 물이 어떻게 흐르는지 잘 들어보세요. 이 나무속에 물은 땅에서 뿌리부터 위로 흘러요. 저기 구름도… 저 구름도 물이죠. 저 물이 뭉쳐서 내려오면 비가 되니까요. 저 구름… 가마솥에 물을 끓이면 날아가는 김과 같아요. 참 신기하죠? 물은 오르락내리락. 안 그래요?"

"듣고 보니 그러네…"

연희는 듣고 보니 은구의 말에 일리가 있었다. 전혀 다른 것을 보는구나. 귀한 재주를 가졌어. 은구를 대해부에게 소개하고자 했다. 은구를 잘 키워서 대해부가의 기둥으로 삼아야겠다.

"너는 무예를 안 배우니? 네 형처럼 무사가 되고 싶지 않니?"

"그러고는 싶은데…"

"그러고 싶은데… 왜 호위장이 너에게는 안 가르쳐 주니?"

"가르쳐 줘도 배우기는…"

싫다. 그렇게 말하려다 멈췄다. 그러고 싶지 않았다. 내 어미를 죽인 원수한테, 그의 무예는 안 배운다. 그 흑천 서위로부터 무예를 배워서는 흑천 서위를 이길 수 없다. 그것을 잘 알고 있는 은구는 망아와 달리 다른 무예를 익히고자 한다.

"다른 무예는 배울 거니?"

"예? 다른 무예라 함은?"

"대해부 상단의 무예. 예로부터 야마다에는 매우 독특한 무예가 있는데… 내가 조부님께 말씀드려보지 뭐…"

연희는 대해부에게 떼를 써서라도 은구에게 최상의 무예를 익히게 하고 싶었다. 대해부와 내기를 해야겠다고 생각했다. 대해부는 연희에게 바둑을 가르쳤다. 그 바둑. 연희와 대해부는 바둑을 통해 많은 내기를 했다. 그로인해 연희는 아이치고는 상당한 실력의 바둑 고수가 되었다.

"너 바둑이 뭔지 알아?"

"바둑이요?"

은구는 바둑을 잘 안다. 초로와 단복이 두는 것. 하얀 돌과 검은 돌로 진을 쌓아 집을 내는 것. 이미 은구는 바둑에 있어서 만큼은 초고수다. 옛 단군조선의 선인, 초로와 단복을 꺾은 지 오래다. 웬만한 것은 다 기억하는 특출한 기억력은 은구에게 초로의 수와 단복의 수를 다 기억하게 했다. 그 기억은 다시 은구가 가진 독특한 재수, 즉 새로움에 대한 시도로 이어졌다. 소도와 은구는 독초 먹기를 하는 무시무시한 내기 바둑을 두었다. 설사 약초로 고생도 많이 했지만 열두 살이 넘으면서 설사는 언제나 초로의 몫이었다. 단복은 아이들을 위해 뭔가 만들어 줘야 할 때 은구를 부려 먹기 위해 바둑을 시작했지만 결국은 은구에게 뭔가 해줄 수밖에 없게 되었다. 두면 졌다. 수를 부리면 부릴수록 졌다. 마치 은구는 초로와 단복의 모든 수를 다 아는 것 같았다. 실제로 은구는 다 기억했다. 그래서 꼼수를 부려도 응징할 수 있었다. 그 실력. 그 바둑을 연희가 잘 둔다 하였다. 대해부가 바둑을 좋아했다.

바둑. 천인(天人). 흔히 대동이족(大東夷族) 선인(仙人)들이 두었다는 하늘의 별자리 이야기다. 단군조선의 제후국이었던 요(堯)·순(舜) 임금이 어리석은 아들 단주(丹朱)와 상균(商均)을 깨우치기 위해서 만들었다는 것이다. 단순히 놀이가 아니라 천상열차분야지도의 운행법칙을 펼쳐놓은 것이다. 하늘의 별자리 운행법을 기초로 세상 만물이 서로 영향을 주는 이치를 알게 하려고 요나라 임금이 만들었다고 하나 신선(神仙)들이 많이 둔다는 얘기처럼 옛 단군조선에서는 많은 선인이 필수적으로 익히고 즐긴 놀이였다. 우주와 인간사의 이치를 밝히는 놀이, 그래서 바둑은 미리 돌이 놓인 것으로부터 시작해서 새로운 돌을 놓아 서로 관계에 의한 인연, 인과의 법칙과 사물 진행의 이치를 밝히게 된다. 본디 이름이 혁기(奕碁)다. 또, 다시라는 의미의 혁(奕)은 역시라는 뜻의 역(亦)이 큰(大) 부수인 것으로 이루어진 글자다. 역시 큰 무엇인가를 담았다. 바둑. 그 깊이를 알 수 없는 세계에서 대해부는 세상을 경략하는 수를 본다.

“그래?”

“내기 바둑에서 이기면 무예 비급 한 권”

“지면?”

“내가 할아버지 어깨 주무르기 반나절”

“와”

“어때?”

“나야 좋지”

“그럼 하는 거야?”

“근데 그리 잘 두는 아이가 있느냐?”

“그건 믿거나 말거나.”

“해보면 알겠지!”

하고 졌다. 대해부는 정확히 반나절 만에 두 손을 들었다. 딱 한 집 차이. 그 차이를 이길 수 없었다. 무예 비급을 줬다. 그 아이. 기마병을 상대했다는 아이의 동생이었다. 그 동생의 바둑 실력은 대해부를 눌렀다. 대해부는 상상도 할 수 없었다. 번의도 실은 조금 봐주는 정도다. 자신을 이길 사람은 대선사밖에 없었다. 그 대선사도 이 아이와 두면 고개를 흔들 것이다. 이리 생각하고 다시 복기해본다.

내일은 꼭 이기리라-

그리고 또 졌다. 대해부가 두는 자리 반대편에 돌을 놓는다. 똑같이 따라두는 것 같은데 한 줄 차이가 있다. 그리고 또 한 집 차이. 도대체 이게 뭔가. 한 집이라니. 연 이틀이었다. 대해부도 승부에서는 지고 못사는 사람이다. 그런데 백제 노예에게 졌다. 이제 겨우 말을 관리하는 마가 양민. 그것도 호위 무사 중위(中位)의 소년, 은구에게 두 번이나 졌다. 잠이 안 왔다. 더욱이 관상이라면 자신 있던 대해부는 은구를 보면 볼수록 신기했다. 침착하다. 무예 비급을 원하는 아이. 뭔가 사연이 매우 많다. 꽉 다문 입. 코가 잘 생겼다. 입꼬리가 감아 말려 있으니 먹을 복은 타고났다. 온통 다 이놈에게 먹을 것을 줄 것이다. 작은 눈에 안광이 빛난다. 검게 짙은 눈망울은 그 깊이를 알 수 없다. 미간과 눈썹. 나무랄 데가 없다. 그런데 은구를 보면서 대해부는 매번 기분이 조금 나빠지는 것이 어쩔 수 없었다. 누군가를 닮았다. 이놈. 선화를 앗아간 놈, 지금은 놈이라고 할 수 없는 자, 백제 비류왕 여호기와 정말 닮았다. 마치 그놈 같다.

얄밉다. 자신의 딸을 데려가 지키지 못했다. 괘씸한…

“네 어미는 어떠했느냐?”
“…?”

은구는 대해부가 묻자 어찌 대답할지 몰랐다. 노예잡이 무사들에게 죽었습니다. 아비와 함께. 그렇게 말했다. 형제만을 남기고. 고하 소도 사람들을 형제에게 떠넘기고… 돌아가셨습니다. 그렇게 말했다. 음- 대해부는 신음했다. 혹시나 해서 물어본 말이기도 했다. 아쉬움이 밀려왔다. 그런데 오늘도 또 한 집 차이 같다. 또 졌나? 그랬다. 그렇게 또 한 집을 졌다.

재밌다-

연희는 은구가 대해부와 바둑을 두는 것을 보면서 정말 재미가 있었다. 연희 자신도 바둑에서는 여간 내기가 아닌데 대해부는 다르다. 정말 고수다. 그런데 은구는 딱 한 집만 이겼다. 세 번 연속으로 한 집을 지자 대해부의 눈빛이 달라졌다. 가히 살기(殺氣)가 돈다. 대해부의 승리욕에 불이 붙은 것이다. 그렇게 해서 대해부는 세 권의 무예 비급을 줬다. 은구는 각각 하루 만에 돌려줬다.

“해 보아라”

무예 비급을 본 은구는 그대로 따라 했다. 마치 도식을 그리듯 그렇게 따라 했다. 아직 수련하지는 않았지만, 그 비급의 핵심을 알아낸 것 같았다. 하루 만에. 대단한 눈썰미요 배우는 능력이다. 이런 아이가 있었던가. 대해부는 새삼 다른 생각을 하게 되었다. 왜 연희가 그렇게 자신하면서 자기와 바둑을 두게 했는지 알게 되었다. 바둑도 어깨너머로 배웠다고 했다. 약초노인 초로와 기구기술자 단복이 두는 바둑을 어려서부터 보고 그냥 익힌 것이라고 했다. 그런데 세 번 연속 한 집을 지고 있었다. 지는 것이 문제가 아니다. 한 집이 문제다. 한 번이라도 두 집, 세 집 졌다면 대해부가 이렇게 자존심이 상하지는 않을 것이다. 그런데 한 집을 연거푸 세 번. 이건 당해보지 않으면 모를 일이다.

또 졌다-

다시 한 집. 기가 찰 노릇이다. 한 번 더. 나흘째 되는 그날은 오후까지 한 번 더 두자고 했다. 몸을 빼는 은구에게 대해부는 아예 무예 비급이 있는 서고 열쇠를 주겠다고 했다. 네 맘대로 보라고 했다. 그리고 다시 한 판을 더 두었다. 그리고 대해부는 수를 내기로 했다. 세 집이고 네 집이고 그렇게 진다. 그렇게라도 해보겠다고 마음먹고 두었다.

결국은 열쇠를 넘겼다-

그리고 자신을 그렇게 이기고도 담담한 그놈과 좋다고 하는 연희를 보면서 대해부는 입을 꽉 다물었다. 이놈. 물건 중의 상물건이 아닌가. 이런 놈이 어디서 왔는가. 이런 아이 본적이 없다. 대해부는 또 당했다. 세 집도 좋고 네 집도 좋고… 더 지면 더 좋을 그런 바둑. 더 지겠다고 헛수를 두어도 은구는 다시 시간을 두고 생각하며 다시 둔다. 묘수다. 딱 한 집으로 질 수밖에 없는 바둑이다. 그 바둑을 지겠다고 벼르고 두어서 막판에 겨우 세 집 차이로 졌다. 그래서 대해부는 서고 열쇠를 넘겨주고도 그날 기분이 매우 좋아졌다. 그러다가 한참 시간이 지난 후 대해부가 은구를 다시 생각했다. 뭔가 다른 것이 있었다. 그 바둑에… 그리고 은구에 대해 다시 생각했다. 복기를 해보자. 철저하게 당했다. 어쨌든 서고 열쇠를 주었다. 다 걸고 허무하게 진 것이다. 지고도 좋아했다. 열쇠 서고를 넘겨주면서도 속으로 한 집이 아닌 세 집 졌다고 대해부 자신이 너무도 좋아했다. 이런 승부, 처음이었다. 이놈. 이놈이 어떤 놈인지 살펴야 한다.

내게 복인가 아닌가. 아니 야마다의 큰 복인가 해인가. 대해부는 은구를 보면서 장래에 대한 흥분이 일었다. 이런 아이.

없었다-

아무도 없을 때 연희는 은구의 볼에 입을 맞춰야 했다. 내기를 하나 더 했다. 대해부가 무예 비급들이 있는 서고 열쇠를 건네면 연희가 안아준다고 했다. 은구는 별로 내키지 않았다. 안아준들 뭐하랴. 그러나 연희는 세상에서 제일 귀한 것이 자신이 안아주는 것으로 착각하면서 살고 있었다. 대해부도 비미호 여왕 인화도 그리고 야마다의 그 누구도 연희가 안아주면 다 감사하고 고마워했다. 그래서 연희가 해주는 것 중에 최상은 곧 안아주는 것이었다. 거기에다 볼에 입을 맞춰 주기까지 해주면 대해부는 세상에 부러울 것이 없다고 했다. 그래서 연희는 그런 최상의 성의를 다하는 내기를 했다. 그래서 해줬다.

은구는 참 이상한 일이라고 생각했다. 왜 자신 같은 천한 사람에게 연희가 그렇게 잘 해주는지 몰랐다. 다만 무예 비급을 얻기 위해 바둑을 두는데 대해부 실력은 초로보다 조금 나을 뿐이었다. 단복하고 두면 비슷할 것이었다. 수년 전부터 초로와 단복은 자신의 밥이었다. 하도 재미가 없어서 초록과 단복에게 이길 집 수를 가지고 내기하곤 했었다. 원하는 것이 있으면 그 숫자만큼 이겨야 했다. 그런 실전 경험이 대해부를 홀딱 빠지게 했다. 또 지면 다 준다. 무예 비급 서고 열쇠를 맡길 테니 한 번 더 두자. 대해부가 그렇게 말하리라고 예상했었다.

격장지계(激將之計). 상대 장수의 감정을 결정적으로 자극해 의도하는 방향으로 이끄는 계책이다. 흔히 성격이 급한 적장을 상대로 사용한다. 성격이 급하지 않으면 급하게 만든다. 특히, 호기심이 많은 사람은 쉽게 흥분한다. 대해부는 그런 사람이다. 하여서 한 방에 끝내고 싶었다. 한 권씩 빌려서 보기도 재미없었다. 그래서 한 집만 이겼다. 세 번, 네 번 두면 알겠지. 그래서 화가 나고 화가 나니 다 걸겠지. 다 걸면 그때가 진짜 승부다. 그렇게 생각했다. 그런 승부, 초로도 단복도 다 했었다. 노인들이란 그저 아는 것만 많아서, 자신이 아는 것에 맞으면 속기가 쉽다. 상대방이 원하는 대로 끌려 들어가면 된다. 이겨야 하는 승부에서 더 지려고 애를 쓴다. 망할 수와 헛된 수를 두고 여러 집 지려 하는데 어찌 이기기가 더 쉬워지지 않을까. 그리고 한 집으로 지지 않은 것에 만족해한다. 알까? 한동안 모른다. 상대는 이미 흥분해서 자신이 지고도 좋아한다는 것을 모른다. 그렇게 하면 됐다.

모든 것이 걸린 그 결선 바둑에서 은구가 세 집을 이겼을 때 대해부는 지고도 좋아할 것이다. 그래야 서고 열쇠를 무난히 얻을 것으로 생각했다. 지면 열쇠를 주기로 했다. 지고 기분이 나쁘면? 어찌 될지 모른다. 확실한 것은… 기분 좋게 지도록 하는 법이 무엇인가? 지고도 기분이 좋으면 준다. 그렇게 은구는 연희에게 이미 자신의 내기 전략을 알려줬다. 정말 그렇게 된다면 널 안아주고 입을 맞춰주마. 정말 그렇게 되자 은구에게 입을 맞춰준 것이다. 매우 고마워하라는 표정으로. 은구는 뭘 고마워해야 할지 잘 몰랐지만 입맞춤이 그리 싫지는 않았다.

흑천 서위는 대해부로부터 무예 비급이 있는 서고의 열쇠를 은구가 받았다는 것을 알게 되었다. 백제 노예 그 아이에 대한 대해부의 관심이 대단했다. 왜 그런지는 모르지만, 흑천 서위도 망아와 은구네 형제의 뛰어남을 알고 있었다. 우연히 야마다 마상무예장에서 은구를 만났다. 흑천 서위는 은구에게 말한다.

“무예를 익히기로 했느냐?”
“예…”
“그래…”

말끝을 흐리던 흑천 서위가 단호하게 은구에게 말했다.

"네 의중을 알겠구나. 단 한 번 기회가 올 것이다. 단 한 번이다. 언젠가 네가 나를 이길 힘이 생기면 도전을 해라. 그리고 뜻을 이루어라."

복수해라. 그렇게 말했다. 은구는 그렇게 들었다. 그때까지 너를 살려두마! 그렇게 들렸다. 흑천 서위는 은구에게 살아가는 힘을 내도록 복수와 증오의 대상이 기꺼이 되어 주고 있었다.

엄청난 제안-

대해부가에서 우복에게 한성백제와 대륙백제를 해상무역의 중심으로 만들 수 있는 제안이 들어왔다. 이게 된다면… 그리만 된다면, 어쩌면… 내해를 낀 여러 나라의 중심을 잡을 수도 있는 일이었다. 당장 받아들여야 했다. 비류왕 여호기에게 급히 달려갔다.

한성백제 고마성에서 비류왕 여호기는 새로운 구상을 하고 있었다. 우복이 얘기한 조세제도를 획기적으로 개선하고 양민을 늘릴 수 있는 계획. 귀족의 반발을 막으면서도 귀족들에게도 좋은 제도. 그런 묘책을 찾고 있었다. 우복이 들어와 뵙기를 청했다. 열도에서 야마다 대해부가에 가있는 왕자 여설거의 소식을 가지고 왔다.

"뭣이라? 쇠를 화폐로?"

한성백제의 뛰어난 제철 기술을 활용하자는 것이었다. 연나라가 이제 막 생기고 있었다. 선비 숙신의 모용씨족은 대륙 북부에 연(燕)나라를 세웠다. 그 연나라 최고의 실세는 누가 뭐래도 대칸 모용외였다. 대칸 모용외와 우복은 이미 대륙백제의 안녕을 위해 담판을 치른 바 있었다. 그의 딸 모용오(慕容吳)는 여호기의 후궁이 되었고 모용유(慕容有)는 우복의 여자가 되어 있었다. 그 모용외와 해야 할 일이 있었다.

"예… 옛 단군조선에서는 청동 명도전이 있었습니다."

"그 청동 명도전을 대신해 철제 명도전을 만들자! 허허. 그 쇠로 돈을 만들되 농기구와 무기의 값으로 하면 되겠다."

"예. 각국은 철제 무기나 농기구가 많이들 필요합니다. 언제든지 화폐를 모으면 곧 무기 생산이 가능해집니다. 철정을 원재료로 하니까… 저 대륙 너머에서도 통용될 것입니다. 화폐가 곧 철재류의 원자재가 됩니다. 저희 백제에는 수많은 철 생산지들이 있습니다. 철재류를 얼마든지 만들 수 있습니다. 철정은 더 더욱 쉽습니다. 철이 없는 곳에 반철 형태로 철제 명도전을 교역화폐로 만들면 우리 백제에 새로운 부를 일으킬 수 있을 것입니다. 열도 야마다도 철제 명도전을 화폐로 쓸 의사가 있다고 합니다."

철재류의 반제품으로 돈을 만든다. 그 돈이 곧 원재료가 되니 교역을 할 수 있다. 돈 자체에 재산 가치가 있는 것이다. 연(燕)나라는 대륙 너머와도 통교하고 있었다. 물물교환의 한계를 극복하고 교역을 늘리기 위해 새로운 단위 화폐가 필요했다. 그것을 활용하자는 것이다. 이는 곧 남만과 서역 등과도 교역하는 열도의 요구이기도 했다. 썩지도 않고 손상되지 않는 것. 무게에 따라 곧 그 가치가 있는 것을 화폐로 하자는 것이다. 교역가치를 확보하고 이를 통해 교역량을 일시에 늘릴 수 있다. 왜 하필 철제일까? 철은 아무 데서나 나는 것이 아니다. 그러나 철제 무기와 철제 농기구 등은 어디에서나 다 필요했다. 철기는 점점 더 늘어만 가고 있는데 철정은 생산이 한정되어 있었다. 그 철. 어차피 높은 가격을 주고 산다. 그러나 각 나라는 다른 화폐를 쓰니 비단이며 각 특산물로 물물교환해야 했다. 철이라면 다르다. 어느 나라나 다 철기를 만들어야 하고 철정은 곧 최상의 필요가 있는 원자재였다. 백제는 대륙백제 위례성 인근에도 엄청난 야철터가 있었다. 한성백제에도 야철광지(冶鐵鑛地)

가 많이 있었다. 철광석이 나고 또 그 철을 다루어 녹이고 가공해서 철정으로 만드는 기술이 탁월하다. 철광석이 아닌 철정(鐵釘). 나아가 이를 화폐로 쓰게 하면 이는 곧 내해(內海)를 끼고 있는 모든 국가의 화폐 제조권을 갖는 것이다. 해보자. 그런 생각에 비류왕은 벌써 가슴이 벅차올랐다. 일시에 백제에 필요한 곡물을 확보할 최상의 수였다. 모용오를 만나야겠다. 오늘은 특별한 날이다.

잘해야 한다. 반드시-

비류왕 여호기는 그렇게 우복에게 말했다. 왕자 설거가 열도 대해부가에 가서 참 엄청난 일을 생각해냈다고 기특해했다. 설거에게서 나왔다니 참 놀랐다. 우복이 설거의 좋은 생각이라고 전했기에 비류왕 여호기는 그렇게 알았다. 우복에게 모용유와 상의해서 연나라 모용외에게 보낼 사람을 추천하라고 했다. 자신은 모용오를 만나 이를 적극 성사시키도록 할 계획이었다. 오늘은 선비족 여인들을 만족시켜야 했다. 국운이 달린 일이다.

사람을 보내자-

연나라의 화폐를 옛 단군조선의 것을 모방한 철제 명도전으로 만들기로 하고 이를 대륙백제와 한성백제에서 만들어 공급할 생각인데 어떠냐고 했다. 그렇게 할 수 있으니 같이 해보자고 안을 넣었다. 그 화폐는 철정 상태로 즉시 제련하면 곧 철기무기며 농기구를 만들 수 있다고 덧붙였다. 그 화폐는 대륙 각지와 연나라가 통교할 때 큰 도움이 될 것이다. 그 철정 화폐를 백제가 공급하고 그 화폐에 대한 값을 연나라는 각 지의 특산물로 교환하자. 즉 철정의 무역이면서 동시에 대륙 북부권의 화폐 제조권을 갖자는 복안이었다. 이를 열도와 연결하면 내해를 끼고 백제를 중심으로 경제공동체를 열 수 있다. 화폐가 같으니 물물교환보다 교역이 훨씬 더 쉬워질 것이었다. 특히, 철광산과 기술, 나아가 여러 물산이 풍부한 백제는 상대적으로 내해 교역의 중심을 형성하게 된다. 열도는 서역과 남만을 이을 것이다. 열도 야마다 또한 새로운 부를 얻게 될 일이었다. 남만과 서역의 작은 나라들은 철기 무기와 농기구 생산을 위해 막대한 노력을 하고 있었다. 열도의 화폐가 곧 그들의 철기 무기의 원재료가 된다. 이런 생각. 대해부가에서 백제왕자 여설거가 내놓았다고 보고가 되었다. 그러나 실상은 연희의 부탁을 받은 은구가 해낸 생각이었다.

"우리가 각 나라의 금수품목인 철정을 더욱 쉽게 얻는 방법이 무엇일까? 어차피 사야 하는 철정인데… 괜히 무기를 만드는 것으로 오해를 받으니 농기구도 잘 못 만든다. 이런 것을 일시에 바꾸는 방안이 없겠느냐?"

대해부는 연희가 가져온 은구의 해답에 기절할 듯 놀랐다. 이를 백제왕자 여설거의 생각으로 넣으라는 말엔 더 놀랐었다. 은구는 사람관계와 국제적인 힘의 역학을 이해하고 있었다. 묘수다. 백제에 내해(內海) 교역의 중심을 두고, 열도에서 가장 필요한 철정을 무한정 오해 없이 얻게 된다. 신생국인 연나라에도 좋고 백제는 더 좋고, 열도 야마다도 매우 이로운 누이 좋고 매부 좋은 상책이다. 괜히 성에 안 차는 물물 교환도 필요 없었다. 철은 소국이면 소국일수록 더 필요한 필수품이었다. 그런 의미에서 어쩌면 화폐보다도 더 귀한 것이었다. 그 모든 것을 한 수로 꿰뚫고 있었다. 이제 갓 소년티를 벗은 은구가, 참 기발한 아이다. 보면 볼수록 아까운 재주를 가진 아이라는 생각이 대해부에게 자주 들고 있었다. 다 좋은 수, 누구나 행복한 그 창조력에 대해부는 감동하기 시작했다. 자신의 공을 내세우는 것이 아니다. 일이 되도록 꾸밀 줄도 아는 아이. 그 사람됨이 좋아졌다.

은구는 자신의 공으로 마가(馬家) 아이들에게 경당(經堂)을 차릴 수 있게 해달라고 했다. 교육. 마가(馬家) 아이들에게 배

움의 길을 열게 해달라는 그 청을 안 들어줄 수 없었다. 은구는 너무도 좋아했다. 그 일에서 대해부는 많은 생각을 하게 되었다.

天 하늘의
二 다른 것은
三 삼이고
地 땅의
二 다른 것도
三 삼이며
人 사람의
二 다른 것도
三 삼이다

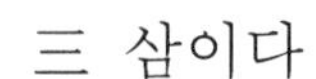

한성백제의 화폐 교역 중심권 계획으로 반도 남쪽의 땅을 대해부가 백제의 식읍으로 받을 수 있게 되었다. 위의 본거지인 옛 독로국 아래, 마한의 옛 땅 아래쪽 지금의 나주(羅州) 평야를 식읍으로 받게 된 것이다. 그곳은 위의 잔류 세력이 있어 아직 백제의 세력이 미치지 못했다. 이를 위의 세력인 대해부가의 식읍으로 줌으로써 자연스레 백제에 편입하게 했다.

비류진왕이 온조 이후의 한성백제를 개척한 당시 마한 천자는 힘을 잃었다. 이때 위(倭)가 마한 천자의 후예로 존재하고 있었다. 그 세력이 지금까지 이어져 오고 있는 것이다. 대해부가는 그 세력의 본류다. 비록 반역자에게 나라를 잃었지만 언젠가는 그 땅을 찾겠다는 큰 뜻이 있었다. 소서노 모태후는 대해부가를 구해줬다. 그리고 야마다에서 정착할 수 있도록 해줬다. 당시 위(倭) 세력은 대해부가를 쫓아내고 새로운 왕을 세웠으나 사분오열(四分五裂)이 되었다. 땅끝이 보이는 곳. 드넓은 평야에 곡식이 무궁했다. 그런 풍족한 땅을 잃었다. 그리고 그 땅은 이제 천재지변으로 임자 없는 황무지가 되어 강을 낀 해적의 소굴이 되고, 크고 작은 읍으로 나뉘어 서로 다투었다. 언젠가 찾아야 할 땅이었다. 그 가치를 아직 백제도 가야도 누구도 모르고 있었다. 열도에서 부여 일파의 하나인 대해부가 은구에게 그 땅의 가치를 가르쳐 주고 있었다.

위(倭)는 대륙과 반도에도 있었다–

언젠가 반드시 거기 옛 땅에 위(倭)를 세우겠다. 약속해라. 그 일을 네가 나서겠다고. 대해부는 그렇게 은구에게 일렀다. 바로 세워달라고 했다. 한을 풀어달라고 했다. 위(倭)는 외부 사람, 방치된 사람들이라는 뜻이기도 했다. 즉 버려진 사람이기도 했다. 변방. 그 한을 알기에 대해부는 고하 소도 사람들의 아픔도 알고 있었다. 대동이족(大東夷族) 중에서도 변방으로 흘러가야 했던 사람들. 거기 대해부가의 아픔이 있었다. 모든 것을 선진 문명의 태사자에게 다 주어야 하는 사람들의 아픔이 있었다. 변방 사람. 거기 대해부가의 본질이 있었다.

넌 누구냐-

대해부는 은구를 보았다. 은구는 그만큼 짧고도 강하게 대해부가에 자리 잡고 있었다. 순식간에 대해부의 마음을 사로잡은 아이. 그 아이는 생김새도 백제 비류왕 여호기와 닮더니 마음 빼앗아 가는 것이 그리도 여호기를 닮아 있었다. 불과 얼마인가 연희와 인화, 대해부는 은구와 있는 시간이 가장 즐거웠다. 어느새 그렇게 되었다. 특히, 연희는 마가(馬家)에서 말을 타고 놀 때도 은구에게 호위하게 했다. 서가를 담당하는 은구가 무예 수련을 하면 연희는 그런 은구를 보면서 자기도 호신술을 배우고자 했다. 그렇게 은구와 연희는 즐겁게 지내고 있었다. 문제는 은구를 보며 대해부는 그 재질과 다른 신분, 그리고 나아가 비미호 여왕 인화에게 단 하나밖에 없는 딸이 바로 연희라는 사실이 고민 중의 고민이었다. 비미호 여왕이 될 연희는 하나다. 근본을 알 수 없는 은구에게 줄 수는 없다. 그만큼 탐도 났지만, 또 모험하기엔 대해부의 나이가 너무 많았다.

비류왕 15년. 318년. 가을 음력 7월 금성인 태백성(太白星), 금성이 한낮에 나타났다. 나라 남쪽에 우박이 내려 곡식을 해쳤다. 태백성의 전설, 태양인 왕과 달인 왕비를 위협하는 큰 인물이 등장할 것이라는 예고였다. 다른 별도 아니었다. 태백성이었다. 누구나 알고 있는 별자리다.

현재의 왕과 태자가 아닌 새로운 왕재가 나타난다는 예고. 한성백제는 발칵 뒤집힌다. 태백성의 전설, 현재의 왕과 왕비가 아닌 다른 왕기가 시작된다는 것이다. 다른 왕기에 대한 백성의 불안은 왕비인 하료를 긴장하게 했다.

'둘째 걸서가 왕이 되면 왕을 범하게 되는 것인데…'

왕과 왕비를 둘 다 범하게 되면 대륙백제의 설리나 설거 등 온조계에서 왕이 될 것이었다. 설거가 주목받는다.

'설거다.'

요즘 들어 설거의 공이 혁혁하다. 대륙백제의 설리는 두려움의 대상이긴 하나 지금 움직일 상황이 아니다. 그런데 분서왕의 후궁이었던 태왕후 하미의 아들 설거는 다르다. 청년 설거는 벌써 온조계의 신망을 한몸에 받고 있다. 설거가 이룬 쾌거들은 비류왕 여호기의 큰 신임을 얻게 했다. 대륙백제와 그 너머 연나라와 통교하고 화폐 제조권을 받아 내해(內海)의 교역을 활발하게 했다. 요즘 들어 한성백제에 가뭄이 특히 심했다. 그럼에도, 한성백제 왕실이 풍족하게 지낼 수 있고 가뭄을 구호하기 위해 곳간을 열 수 있었던 것은 왕자 여설거의 공이다. 왕비 하료의 불안이 이것이었다. 비류왕 여호기는 능히 그럴 사람이다. 자신의 아들이 아니어도 왕위를 넘길 수 있는 사람. 더 훌륭한 후계라고 생각하면 자식에게 양보시킬 사람이다. 오죽하면 요순과 단군 천왕들의 양위를 입에 담는 사람이 아닌가. 백제와 백성을 위해 더 좋은 사람이 있으면 왕의 지위를 양보한다. 그런 훌륭한 왕들이 있었다. 그렇게 말하는 비류왕. 그의 얘기를 들으면서 그가 그럴 수 있다는 생각을 하면 왕비 하료는 신경이 곤두선다.

게다가-

후궁 모용오가 후사라도 만든다면? 여호기는 한동안 모용오의 처소에서만 살았다. 저렇게 정이 좋은데… 왕자라도 생기면. 더욱 복잡해질 것이 빤했다. 그래도 다행인 것은 오랜 세월 정

좋은 모용오에게 후사가 없었다는 점이다. 그래도 안심할 수는 없었다. 모용오는 아직 젊었으니…. 물론 한성백제 최대 세력은 누가 뭐래도 자신의 본가, 즉 진(辰)가다. 그 힘을 어쩌진 못할 것이다. 그렇지만 누가 여호기가 왕이 될 줄 알았는가. 하늘의 일이란 그렇다. 이래저래 하료의 불안은 날이 갈수록 더했다. 설거에 대한 염려 또한 더욱 커졌다. 설거의 후원자가 누군가. 우복 아닌가. 그가 내신좌평이 되었다. 이제 설거의 세력은 왕비가에 못지않다. 비류왕의 최고 총애를 받는 사람, 우복이 설거의 후견인이었다.

그 설거를 따라서 대해부가 상단에 인화와 연희, 망아와 은구가 왔다. 한성백제에서 은구는 새로운 감회를 느낀다. 왕이 되겠다고 해서 종아리가 부러지도록 맞았던 기억이 새롭다. 아비 현고는 죽었다. 자신을 살리기 위해 어미 우아도 죽었다. 망아와 은구에게 한성백제는 이제 아픔이었다. 은구는 망아와 한성백제에 온 김에 자신들이 살았던 고하 소도가 있던 곳을 찾았다. 흔적이 없었다. 망아와 은구는 천기령으로 가서 천제를 지내기로 했다.

하늘에 제사를 지내기 위해 아비 현고가 만나자고 했던 그곳, 천기령 제4 용소로 갔다. 거기서 돌무덤을 보고 엉엉 두 청년이

운다. 어머니. 아버지. 그렇게 울었다. 은구는 하늘이 원망스러웠다. 그러나 은구는 모른다. 그 하늘이 이 자리에 얼마나 더 억울한 한(恨)을 묻어 두었는지. 그 한(恨)이 아들의 울음을 들었는지 그날처럼 또 비가 내리기 시작했다. 그 비를 고스란히 맞으며 망아와 은구는 울고 또 울었다.

연희는 한성백제에 와서 그 이야기를 들었다. 부모가 죽은 이야기는 언제나 슬프다. 죽은 부모는 자식의 영원한 그리움이 된다. 달라진 망아와 은구를 연희가 위로했다. 그리고 인화에게 말해 망아를 대해부 상단의 호위장을 시켜 달라고 했다.

대해부가 상단의 호위장 여강(餘强), 그리고 호위좌장 여구(餘句).

정식으로 백제 사람의 신분 호패도 받았다. 백제 호패는 백제 무절의 군위 지위로 받았다. 백제 무절의 싸울아비. 정식으로 백제의 무사가 된 것이다. 이는 왕자 여설거의 치하였다. 설거가 한성백제의 주목을 받게 된 것은 모두 은구의 발상 덕분이었다. 그 은구에게 상을 내린 것이다.

상(賞)이나-

우복 또한 득세했다. 마침내 내신좌평에 올라 일인지하(一人之下) 만인지상(萬人之上)의 자리에 올랐다. 비류왕 여호기 아래 제일 높은 중심이 된 것이다. 우복이 내신좌평에 오르자 왕자 설거와 왕비 하료의 사이가 벌어진다. 왕비 하료는 태왕후 하미와 우복과의 관계를 누구보다도 잘 알고 있었다. 왕비 하료는 내신좌평 우복을 불렀다. 그리고 긴 심문에 들어갔다.

"왕의 의제이시니까… 잘 아시겠지만…"

왕의 의제이니까. 잘 알고 있겠지만. 요즘 나와는 뜸하지요. 한때… 기억하십니까? 하고 하료가 얘기한 것은 그때 그 얘기였다. 훔치는 사람이나 당하는 사람이나 누구도 알아서는 안 되는 그런 비밀 정사를 하료와 했었다.

범할 수 없는 왕비지만 이미 선왕의 여자를 범했던 우복으로서는 긴장감이 흘렀다. 우복을 흠씬 달궜다. 하료는 그때처럼 우복을 긴장하게 했다. 그렇게 우복에게 옛 기억을 떠올리게 하고 왕비 하료는 우복의 심중을 읽으려 했다.

"태자 지정이 어떻습니까?"

"예?"

"일 왕자가 아닙니까?"

"예… 태자 논의가 필요하긴 한데… 귀족들이나 왕께 벌써 태자 논의를 하려 한다면… 그리 곱게 보지 않을 듯합니다. 신중해야 합니다!"

"저는 이 왕자도 생각하고 있습니다."

"예? 걸서 왕자를요?"

둘째 왕자. 걸서다. 우복에게 하료는 네 아들은 어떠냐고 묻고 있었다. 태백성이 나타난 지금 태자 논의를 해야 한다. 왕권 후계자를 명확하게 해야 한다. 하료의 의미심장한 미소가 흐른다. 그때처럼. 그러나 우복은 모른척해야 했다. 모르는 것이다. 하료와 자신은 아무 일도 없었다. 하료는 알겠지만, 우복은 몰라야 했다. 여기서 더 엮이면 안 된다. 그렇게 생각했다. 지금도 가끔 하료의 명으로 하미를 만나야 했다. 궁에서 아무런 할 일이 없던 하미는 어쩌다 만나는 우복을 반겼다. 사람들을 물리치면 자신의 품에 안겨들었다. 문제는 날이었다. 임신하지 않는 날. 그날을 기다려 발정이 난 암캐를 달래러 가는 수캐처럼 그렇게 가야 했다. 처음에는 살짝 떨리는 흥분도 느꼈다. 그러나 차츰 하료의 명이 일상처럼 계속되자 이제는 하미의 궁을 찾는 발걸음이 더없이 무거웠다. 다른 궁인들이 보고 있지 않을까 두

렵기까지 했다. 여불위가 호해를 왜 불러들였는지 알 것 같은 일이다. 그런데 지금 하료도 그런 생각을 할까 봐 더 두려웠다. 비류왕 여호기와 왕비 하료의 뜨악한 관계에 대해서는 이미 알고 있었다. 왕비 하료의 침소에 비류왕이 든 일이 없다. 적어도 수년 안에는 없다고 알고 있다. 하료와 여호기. 왕과 왕비는 정이 통하지 않는 정치적 관계로 백제의 주인 노릇을 하고 있었다. 그것을 우복은 누구보다 잘 알고 있었다. 그래서 지금 하료와의 대면이 껄끄러웠다. 태자 문제가 거론되자 우복은 그저 걸걸, 첫째 왕자를 내세워야 한다고 말했다. 머뭇거린다면 의심받기 십상이었다. 하미와 설거도 위험해진다. 자신을 지키기 위한 빠른 생각이 돌고 있었다. 부부관계가 없는 정치적 관계의 왕과 왕비는 후계 문제에 민감해진다. 왕비는 자신의 직계를 어미의 본능으로 지키려 한다. 그것이 어미다. 왕비도 어미다. 더구나 권력욕에 소유욕이 남다른 하료다. 목숨이 걸린 일이었다.

하료가 먼저 움직였다-

묘수가 필요했다. 후계자를 정하자. 하료는 왕자 설거의 남행 성과를 불안하게 여기고 있는 것이다. 우복이 설거의 후견인 노릇을 하는 것에 불만을 토로한 것이다. 우복을 돌려세우려 했다. 우복은 더욱 긴장해야 했다. 왕비 하료에 대한 대책이 필요했다.

하료는 자신의 아들-

태자 걸걸이나 둘째 왕자인 걸서를 백제 계승자로 만들려 하고, 내심 우복은 분서왕의 아들이자 자신의 아들인, 설거를 옹립하려고 한다. 우복은 아직 왕비 하료가 낳은 걸서 또한 자신의 아들임을 알지 못한다.

정계에서 은퇴한 진루는 왕비 하료와 함께 모태후인 소서노의 약속, 천년왕국 절대무왕의 탄생을 기다린다. 왕비가에만 전해오는 이야기. 잃어버린 소서노 모태후의 상징 목걸이와 동명성왕 주몽의 왕검을 찾으면, 그 비기(秘記)를 풀면 절대무왕의 길이 열린다.

백제 대천관 신녀는 그 이야기를 이제는 믿지 않는다. 오직 하늘의 뜻으로 이루어질 일은 이루어지고 만다. 자신이 나서서 마치 이루어질 것처럼 하는 것이 얼마나 어리석은 일인가를 깨달은 것이다. 비류왕 여호기만 보아도 그렇다. 그 집안 몰락의 뒤에는 자신의 어린 치기가 있었다. 고이왕은 그 씨를 말려 후환을 없애려 했다. 그런데 그 아이를 자신의 아비가 구해서 자신에게 데려왔다. 백제 제일자가 낙랑에서 죽을 것이라는 신탁을 받고서 이를 대신할 사람으로 자신이 무예대전을 통해 여호기를 만들었다. 그러나 정작 낙랑에서 죽은 백제 제일자는 책계왕. 진짜 백제 제일자였다. 그렇게 하늘이 꾸민 일에 더는 왈가왈부하기가 싫었다. 오로지 신심(信心)이다. 바른 정심(正心)이다. 그것을 하늘이 알아줄 뿐. 선택은 하늘이 한다. 인간은 오직 자신의 운명을 선택할 뿐 세상일은 그 인간들의 선택을 통해 하늘이 한다. 기회는 공평하지만 인간은 자신의 욕심대로 한다. 대천관 신녀는 욕심을 가지려면 크게 가져야 한다고 생각한다. 그 욕심이 인간을 움직이게 한다.

절대무왕-

누구인가. 설거도 왕재다. 걸걸과 걸서는 아닌 것 같다. 그런데 분명히 동명성왕 묘에서 천제를 지낼 때 보았다. 절대무왕기(氣)가 살아 올랐다. 왕의 곁에서 그 왕의 기운과 함께 올랐다. 왕기는 분명히 셋이었다. 강한 비류왕 여호기, 그리고 다소 약한 왕자 여설거, 그리고 아주 강한 또 다른 누구의 것이었다. 그것이 대천관 신녀를 오랫동안 신궁 내실에 붙들어 두고 있었다. 누구인가. 왕과 함께 있던 왕재, 비류왕과 함께 오른 그 절대 왕기는 또 누구의 것인가.

태백성이 범할 하늘은 누구인가. 왜, 또 어떻게 범할 것인가.

하료는 왕비족으로 남몰래 내려오는 전설, 즉 소서노가 예언한 절대무왕을 얻으려 했다. 이제 천일이 백번 지나고 있었다. 삼백 년을 기다려 왔다. 그때가 드디어 다가왔다. 게다가 대천관 신녀가 보았다고 했다.

북두의 별인 탐랑(貪狼), 거문(巨門), 녹존(祿存), 문곡(文曲), 염정(廉貞), 무곡(武曲), 파군(破軍)이 빛을 발했다. 대천관 신녀는 북두법으로 기도하던 중에 칠원성군 중에서 천권성(天權星)이 움직였다. 무곡(武曲), 파군(破軍) 등과 함께 삼성(三星)이 백제를 밝히고 있었다. 대군장은 한성백제에서 태어나리라고 했다. 신녀는 이 이야기를 책계왕에게 할 수가 없었다. 대군장. 얼마나 기다린 일인가. 옛 단군조선의 치우천왕 같은 무신(武神). 절대(絶對) 무존(武尊). 절대무왕의 예언.

그래서 대천관 신녀나 진루는 하료의 둘째 임신에 큰 기대를 걸었었다. 대천관 신녀는 여호기의 신탁을 통해 여호기로부터 그 절대군왕의 왕기가 있음을 알고 있었다. 그런 차에 하료가 임신한 것이다. 그것도 북두의 별이 빛을 발하던 바로 그때 그 놀라운 기대감으로 대천관 신녀는 하료의 둘째를 기다렸다. 가슴이 벅찼다. 진루 또한 대천관과 함께 그 의미를 나누고 있었다. 절대무왕이 드디어 탄생한다. 그러나 그 탄생을 보고 대천관 신녀는 놀랐다. 하료가 낳은 아이, 둘째 왕자 걸서는 왕재가 아니다. 이것이 문제였다. 왜 왕재가 아닐까.

지금 보아도 그렇다—

영민하지만 아니다. 분명히 왕재는 아니다. 하늘의 뜻을 살피고 계시를 받는 대천관 신녀지만 도대체 알 수가 없다. 왕재는 오히려 설거에게 있었다. 이를 말하면 하료는 대뜸 설거를 죽이려 들 것이다. 아무리 하미가 사촌이라고는 하지만 오히려 그것이 살려둘 수 없는 이유가 될 수도 있을 터. 분서왕의 아들이 왕재고 자기의 아들은 아니다. 오히려 단명의 사주다. 아는 즉시 하료는 설거를 죽일 사람이다. 비류왕 여호기의 아들 중 하나는 왕재여야 한다. 분명히 그런 사주다. 그런데 왕재는 오히려 설거다. 게다가 천제에서 여호기와 더불어 그 아들의 기운이 더 힘차게 위로 뻗치지 않았었는가, 분명히 절대무왕의 기(氣)가 올랐다. 참 이상하다. 그럴만한 왕재는 없다. 그런데 그때 그 잠깐, 대천관 신녀는 하늘로 뻗친 그 절대 왕기를 분명히 보았다.

그래서 더욱 풀리지 않는다-

거기에 그럴 왕기를 뿜는 자는 없었다. 대왕이 되겠다. 그리 다짐한 사람. 그 기운에 감응하여 하늘이 빛을 내리고 있었다. 그 일. 대천관 신녀의 수수께끼가 되어 버렸다.

식읍(食邑)-

위(倭) 야마다 비미호 여왕 인화는 나주(羅州) 벌판을 연희에게 확보할 것을 명했다. 연희와 함께 여강 호위장과 여구 좌장으로 하여금 나주를 정벌하게 했다. 해적소탕과 나주벌 정복을 위해 위 세력 1만과 백제군 1만 명이 연합해서 진격했다. 나주 벌판으로 가는 길목에 해적들을 차례차례 꺾었다. 흑천 서위의 무예를 배운 여강의 눈부신 활약과 무예를 독학한 여구의 특이한 행보는 군대도 아닌 호위 무사만으로도 큰 승리를 거두고 있었다.

실상 나주벌은 연이은 가뭄으로 싸울 여력조차 없었다. 일 년 전 대홍수. 올해는 큰 가뭄. 그렇게 수년간 번갈아 이어온 천재지변은 사람들을 뿔뿔이 흩어놓았다. 하늘이 진노하면 농토는 사람을 버린다. 그래서 사람도 그 농토를 버릴 수밖에 없다. 벌판은 잡풀만 무성했다.

여강과 여구는 어렵지 않게 벌판에 이르게 되었다. 나주벌은 거대한 농토다. 풍년이 들면 그 어디보다도 풍족하리라. 그러나 가뭄이나 홍수가 들면 다른 대안이 없어 보였다. 게다가 어느 방향에서도 다가오는 적을 막을 수 없는 그저 허허벌판. 여기에서는 성(城)을 쌓기가 어렵다. 즉 사방에서 공격하면 공격하는 대로 당해야 한다. 이곳. 농토와 축성할 거리를 잘 따져야 했다. 홍수 범람도 예상되었다. 가뭄의 대안은 강이다. 강물을 모으고 저수지를 만들어 원지(園池)를 조성해야 한다. 농민과 성읍을 구별하게 해야 했다. 수로를 활용하되 본 세력, 즉 군대를 제대로 결성하기가 어려우니 농민을 곧 군대로 만들어야 했다. 벌판은 장점이자 단점이었다. 옛 단군조선의 도읍들이 그랬다. 광활한 벌판. 평화 시에는 귀한 농토였다. 전쟁에서는 적을 막아낼 수 없는 개활지다. 일시에 폐허가 될 수 있었다. 나주 벌판이 그런 곳이었다. 그래서 여구는 새로운 방안을 찾았다.

강을 중심으로 교역장을 만들었다. 먼저 식량을 내주었다. 농민들에게 준 식량을 다음 해에 10의 1을 더하여 달라고 했다. 열 가마를 준 마을에서 열한 가마를 받기로 한 것이다. 그렇게 위(倭) 세력의 읍을 키워나갔다. 읍으로 편입되는 농민들에게는 농기구이자 무기를 하나씩 만들어주었다. 평소에는 풀 등을 퍼담을 수 있는 농기구고 전시에는 창이 되는 끝이 날카로운 삼지창 모양의 농기구를 호미와 함께 나눠주었다. 또한 농사와 어업을 같이 장려했다.

강을 중심으로 한 교역장과 더불어 나주벌 주변의 산줄기를 여구는 주목했다. 높은 산들에서 우물을 파니 물이 있었다. 북쪽에 금관 모양의 산. 지금의 담양에 금성산성을 짓게 했다. 지금의 광주에는 단군조선 시대부터 세워져 있던 무곡산성을 보강하고 바로 뱃길과 연결할 수 있도록 길을 내게 했다. 나주벌 한복판에는 낮은 야산에 옛 마한의 성을 축조해서 자미산성을 세우게 하고 이를 근거지로 해서 나주 인근을 관할하게 했다. 그리고 거기에 군대 주둔지와 곡식창고를 크게 두었다. 나주벌에 문제가 발생하면 연통하여 즉시 방어하게 해야 했다. 나주벌의 중심 산성들이었다. 문제는 속도였다. 경기갑병을 중시하여 편재해야 했다. 백제군 1만 명과 위군 1만 명을 기병으로 편재했다. 무곡산성과 금성산성, 자미산성 등에 1만 기병을 주둔시켜 계속 산성을 보강하게 했다. 나주벌 동쪽에도 다시 1만 명을 다섯으로 나누어 진영을 야산에 꾸리게 했다. 큰 저수지들을 만들었다. 그렇게 해서 대해부가의 식읍인 나주벌에 금성과 무곡,

자미 등의 옛 산성들을 보강하여 다시 세우고 백제와 위의 군대가 주둔하게 되자 안정이 찾아왔다. 저수지가 생긴 주변으로 농토가 다시 개간되었다.

비로소 대해부의 큰 한(恨)이 풀렸다.